Secretos de amor

Colección «La fuente de Jade»*

* «En la terminología sexológica taoísta, expresión con que se define la saliva producida en la boca de una mujer durante las cimas más altas del éxtasis sexual. Se le atribuye un efecto vitalizador y fortalecedor sobre la persona que la absorbe. También recibe el nombre de Manantial Dulce» (*Secretos sexuales*, Nik Douglas y Penny Slinger).

Anne-Marie Villefranche

Secretos de amor

Traducción de Teresa Labete Dimondi

Título original: *Secrets d'amour*

Colección dirigida por Rubén Krause
Diseño gráfico: Geest/Høverstad

© 1989, Jane Purcell
© 1994, Ediciones Martínez Roca, S. A.
Enric Granados, 84, 08008 Barcelona
ISBN 84-270-1894-0
Depósito legal B. 31.761-1994
Fotocomposición de Pacmer, S. A., Miquel Àngel, 70-72, 08028 Barcelona
Impreso por Libergraf, S. L., Constitució, 19, 08014 Barcelona

Impreso en España – Printed in Spain

Prólogo

Los relatos de Anne-Marie Villefranche acerca de los peculiares lances amorosos de sus amigos en el París de los años veinte se han hecho extraordinariamente populares no sólo en la propia Francia sino en toda Europa y en el mundo entero, desde Norteamérica y Sudamérica hasta Japón. Para entretener a su público, numeroso y cosmopolita, se ha preparado para la publicación el quinto volumen de sus obras.

Como bien saben sus seguidores, la forma preferida de Anne-Marie es la narración breve de unas siete mil quinientas palabras. Estas palabras bastan a Anne-Marie para esbozar un par de amantes, a menudo mal emparejados, y su contexto, para relatar el desenfreno de la relación que se desarrolla entre ellos y para describir el desenlace, normalmente escandaloso y siempre inesperado.

En ocasiones, las complejidades de la aventura amorosa que capta la atención de Anne-Marie no caben de modo satisfactorio en tan exiguos confines. Un ejemplo de ello es la historia de Armand y Madeleine que se recoge en este libro. Para resolver el problema según su propia e inimitable manera, Anne-Marie compuso una serie de nueve narraciones relacionadas entre sí acerca de las mismas personas. Juntas forman una novela, pero también pueden leerse por separado como relatos completos.

El lector puede por tanto empezar por el principio con la lectura del primer relato, «Diversiones en una escalera», y seguir la secuencia de acontecimientos que se desarrolla hasta su conclusión en «Secretos revelados»

7

o elegir al azar cualquier otro del libro y disfrutarlo a placer.

Los lectores familiarizados con las anteriores obras de Anne-Marie reconocerán en este volumen a varios de sus amigos. Armand Budin, por ejemplo, apareció por primera vez en *Placer de Amor*, persiguiendo a una dama que antes hacía probar a su doncella las habilidades de sus futuros amantes. En *La alegría de amar* Armand y un conocido descubren por casualidad que estaban compartiendo, sin saberlo y con regularidad, los favores de una ambiciosa dama. En el presente volumen, Armand se enzarza en un apasionado romance con Madeleine Beauvais, la esposa separada de su primo, y parece no haber aprendido nada de sus previas correrías.

Anne Marie ya había escrito sobre los intrincados romances de Yvonne, hermana de Madeleine. En *La alegría de amar*, siendo aún Yvonne Daladier, abandonó a un fiel amante por otro más prometedor y se quedó sin un céntimo al resultar este último un truhán. En *Locuras de amor* estaba a punto de prometerse a un hombre bastante rico cuando una indecente y cómica peripecia con una adivina puso fin a esa relación.

En el presente volumen la encontramos unos años más tarde, ahora convertida en Yvonne Hiver, habiendo cumplido ya su ambición de casarse con un hombre rico y ser madre de dos niños, sin que eso le impida abrazar a otros amantes más jóvenes. No describiré aquí el historial de los demás hombres y mujeres implicados en los desvergonzados episodios que configuran los pormenores de este volumen, sino que dejaré al curioso lector el placer de identificarlos con los de los libros anteriores.

JANE PURCELL
Londres, 1988

1

Diversiones en una escalera

Madeleine Beauvais era alta, esbelta y hermosa, y no exagero al decir que Armand, el primo de su marido, andaba enamoriscado de ella. Visitaba a menudo la casa de los Beauvais por el placer de verla y hablar con ella. Pensaba en Madeleine cada día y a veces, cuando había bebido más champaña de la cuenta, fantaseaba sobre ella. Siendo como es la naturaleza humana, ni que decir tiene qué tipo de fantasías eran: en ellas Armand se concedía el privilegio de desnudar a Madeleine y entregarse a las pasiones con su elegante cuerpo de diversas y desvergonzadas maneras.

A los veintinueve años, Madeleine se hallaba en la cima de la perfección física. Tenía un rostro oval con pómulos delicados y prominentes, una nariz larga y exquisita y una boca amplia y generosa. Tenía el cabello de un fascinante tono castaño y, aunque lo llevaba corto y a la moda, parecía flotar alrededor de su cabeza con lustroso y perfumado encanto. Cuando sus amigas la describían como muy atractiva, en general se encogían de hombros para expresar que no acababan de comprender qué encontraban los hombres de interesante en ella. Lo cierto era que ninguno pasaba por alto su presencia, instantáneamente consciente de que poseía cierta aura invisible, imposible de definir, pero que tenía mucho que ver con una sensualidad oculta.

No es que fuera provocativa. Como mujer casada de buena familia y posición, vestía y se conducía dentro de los límites esperados. Pero en cierta sutil manera, su presencia física sugería un secreto entusiasmo y una capacidad fuera de lo corriente para amar. Aquellos susceptibles a tales sutilezas podían reconocerlo en los fútiles gestos de las manos cuando hablaba y en los movimientos de las muñecas. En el grácil modo en que cruzaba las piernas enfundadas en medias de seda cuando se sentaba y en las curvas de los pequeños pechos y las caderas bajo la ropa hermosamente diseñada.

Los diversos hombres que, como Armand Budin, experimentaban la exquisita atracción que parecía flotar en torno a Madeleine como un aroma delicioso siempre se entendieron entre sí a la perfección. Todos habrían estado extraordinariamente complacidos de poder disfrutar de la oportunidad de desnudarla una noche y hacerle el amor. Pero, por desgracia, era famosa por ser absoluta, apasionada y notablemente fiel a su marido, Pierre-Louis, a pesar de que llevaban casados ocho años.

Como es natural, después de tanto tiempo, un montón de hombres jóvenes –y también de mediana edad– habían revelado a Madeleine en privado la fuerza de sus sentimientos hacia ella. Y de ahí habían pasado a más y le habían insinuado su aspiración a convertirse en sus amantes. Le habían expresado sus deseos según su temperamento y perspicacia individual, lo cual variaba desde declaraciones románticas de amor eterno que parecían no pedir más que cogerle de la mano y darle un casto beso en la mejilla, subiendo de tono hasta afirmar con energía una ardiente pasión que conducía a besarle los pechos hasta que se desmayara de placer.

Un tipo particularmente audaz, Claude Bonheur, se había humillado al sucumbir a su ávido deseo por Madeleine. Era un hombre guapo de unos veinticinco años más o menos, alto y de ojos azules, abogado de profesión y, en circunstancias normales, dotado de toda la cautela de un abogado. Pero en una fiesta en casa de los Beauvais se puso un poco demasiado alegre gracias a una combinación de champaña y de su necesidad de poseer los encantos de Madeleine. Esa embriagadora mezcla le llevó a traspasar el límite de los buenos modales que requiere la buena sociedad. Una vez que se quedó un momento a solas con Madeleine en un rincón de la casa, aprovechó la oportunidad para asirla fuerte del talle y frotarse raudo contra ella.

Es de suponer que lo hizo con la esperanza de que el firme contacto de su ariete contra el vientre, aun a través de varias capas de ropa, la inflamaría de pasión hasta el extremo de no negarle nada. Al observar que estaba algo bebido, le pidió que la soltara e intentó zafarse de él, para zanjar así el asunto sin mayor ofensa. Pero cuando Claude persistió y se restregó contra ella cada vez más fuerte y más rápido, como si estuviera decidido a descargar su excitación sobre la ropa interior, no fueron las pasiones sino la ira de Madeleine lo que desató, hasta el punto de abofetearle y censurar con severidad su impertinencia.

Lo cierto era que, sin excepción, todos los aspirantes a sus favores eran rechazados con una firmeza que no admitía ambages. Imaginad pues la sorpresa y la alegría de Armand Budin cuando, una noche, en un momento de revelación, se le ocurrió que podía poseer a Madeleine; poseerla como se le antojara, desnuda y tumbada en la cama para su placer, sólo con pedirlo. La fuerza de esta consciencia fue sobrecogedora, un escalofrío le recorrió el cuerpo y se quedó sin aliento, casi como si Madeleine se hubiera abierto ya de piernas, Armand tuviera el vientre sobre ella y llegara el momento de la consumación.

Pero, conociendo el carácter de Madeleine como él lo

11

conocía, era absolutamente improbable que ella le manifestara su disposición a rendirle su cuerpo. Era tan improbable como que le informaran de que había ganado un millón de francos en la lotería, gracias a un billete que había olvidado que tenía. Pero había comprado el billete, por así decirlo. En esos dos o tres años anteriores había hecho saber su interés a Madeleine de manera tan encantadora que ella se había sentido halagada en lugar de molesta. Tanto es así que le había disuadido con el mismo donaire que si estuviera aceptando sus proposiciones.

No había nada especial en la ocasión en la que Armand hizo el sorprendente descubrimiento de que la virtuosa Madeleine se avendría bien a sus proposiciones. Estaba en una fiesta con una docena de amigos, incluidos Pierre-Louis y Madeleine, disfrutando de una velada en el club nocturno Les Acacias. Aunque Armand había cumplido los treinta hacía algunos meses, no le preocupaba el matrimonio y por tanto eligió como compañera a una de las muchas mujeres bonitas que conocía, Dominique Delaval, una joven elegante que había estado casada, pero después de dos o tres años le pareció incómodamente restrictivo y ahora ya no lo estaba.

Los músicos interpretaban jazz americano, fluía el champaña, los amigos chismorreaban sobre otros amigos, el tiempo pasaba agradablemente. Armand bailó varias veces con la rubia Dominique y, por cortesía, una vez con cada una de las demás mujeres de la fiesta. Sin duda era la vivacidad de Dominique, así como las generosas proporciones de sus senos medio velados, lo que le aseguraba una popularidad instantánea entre los hombres en general y entre los hombres casados en particular. En el curso de la velada todos los hombres del grupo de Armand solicitaron el placer de bailar con ella.

Armand deparó en que uno de ellos, sintiéndose lo

12

bastante libre de observación entre las parejas de la abarrotada pista de baile bajó la mano por la elegante espalda desnuda de Dominique sobre el vestido de noche y le tocó el trasero a través de la ceñida seda de color mandarina. No se trataba de un simple tiento de amigo, Vincent mantuvo la mano todo el rato que estuvieron bailando. Y no se contentó con dejar que su mano descansase ligeramente en el trasero de Dominique, sino que, para guiarla, aunque con una innecesaria intimidad, se arrimaba a ella en los pasos de baile. Por lo que Armand pudo observar durante los breves intervalos en que el movimiento general sobre la pista le permitía ver la espalda de Dominique, la traicionera mano de Vincent se movía continuamente, para acariciar y estrujar las deliciosas nalgas ocultas bajo el vestido de su pareja.

Hay que admitir que la tentación era muy grande. Las gráciles rotundidades del trasero de Dominique estaban modeladas con tal exquisitez que si un escultor las hubiera reproducido en mármol rosa, el resultado se aclamaría como obra maestra y se exhibiría con orgullo en el Louvre. Claro que esa maravillosa dotación no estaba modelada en algo tan frío y rígido como el mármol; bajo la satinada piel de las nalgas había una opulencia de carne tibia y flexible que daba gozo tocar. Esas grandes delicias ovales sobresalían de la espalda del vestido de un modo que tentaban las manos de cualquier hombre.

Ese tal Vincent Moreau, que estaba cometiendo tan desagradable acto de familiaridad, había sido buen amigo de Armand desde que iban juntos al colegio. Cuando acompañó a Dominique otra vez a la mesa, el rostro de Vincent estaba visiblemente ruborizado, a pesar de la penumbra del club nocturno, y un bulto manifiesto le deformaba los pantalones negros. Tomó asiento junto a Dominique y le susurró algo al oído; su boca casi le tocaba la

13

oreja adornada con diamantes, mientras le llenaba la copa. Tapado por la mesa le puso la mano en la rodilla velada por la media de seda y, con la destreza de una larga práctica, empezó a subirla por el muslo, bajo el vestido.

Seguro que en la luz tenue de los clubs nocturnos noche tras noche multitud de hombres meten mano bajo los vestidos de las mujeres. Y, efectivamente, existe la difundida teoría de que ése es el verdadero propósito de los clubs, y que beber y bailar no son más que medios para facilitar el avance de la mano masculina sobre el muslo femenino. Pero Brigitte, la atractiva esposa de Vincent, estaba sentada frente a él y, como hace tiempo se ha descubierto científicamente y sin la menor posibilidad de error, el día en que contrae matrimonio una mujer desarrolla un misterioso poder psíquico. Un glacial escalofrío en la espalda le advierte del instante en que su marido toca los tesoros de otra mujer, aun cuando en ese momento él se encuentre en el otro extremo de París.

Antes de que la mano de Vincent hubiera realizado la mitad de su voluptuoso viaje desde la rodilla de Dominique hasta el final de las medias de seda, Armand puso fin a esa locura que podía haber degenerado en escándalo, levantando impetuosamente a Dominique y conduciéndola otra vez a la pista de baile. No es que estuviera celoso; sabía bien que en modo alguno era el único hombre que intimaba con Dominique. Pero le pareció una falta de educación por parte de Vincent intentar seducirla ante los ojos del acompañante de esa noche..., e incluso aún de peor educación comportarse así ante las narices de su esposa.

Lo correcto habría sido pedirle a Dominique el número de teléfono y llamarla al día siguiente para concertar una cita, si tanto se había encaprichado Vincent. La proposición excesivamente descarada demostraba una falta de respeto hacia su esposa y hacia Armand. Al fin y al cabo, sin lugar a dudas, Vincent habría representado el papel de marido ofendido si Armand hubiera cometido la temeridad de meter mano a Brigitte por debajo de la mesa y le hubiera tocado el *bijou*, que Vincent consideraba de su propiedad. El incidente pasó y todos lo olvidaron, excepto Brigitte, que dirigió a Vincent una mirada helada y dejó de hablarle durante el resto de la noche.

Cuando el grupo salió del club a eso de las dos de la madrugada llegó para Armand el soberbio instante de la revelación. La docena de amigos se apiñaban en el pequeño vestíbulo de la entrada, en busca de sus abrigos y sus sombreros. Pierre-Louis estaba dando propina al encargado de la guardarropía y Armand cogía la impresionante capa con el cuello de marta cibelina y la ponía sobre los hombros desnudos de Madeleine. No albergaba segundas intenciones, más que la cortesía habitual. Al fin y al cabo, en un cuarto de hora estaría en casa de Dominique y, en breve, se hallaría fundido con ella en un abrazo.

No obstante, dada la naturaleza de los hombres, no pudo resistirse a echar una rápida ojeada sobre los hombros de Madeleine mientras le sostenía la capa. Llevaba un vestido de cóctel de satén blanco sin mangas, muy escotado para revelar la división de los pechos y de cintura holgada alrededor de las caderas. De su cuello colgaba una larga ristra de perlas, con una vuelta ceñida a la garganta eminentemente besable, y luego colgando en una segunda vuelta a nivel de los pechos. Y eran esas deliciosas granadas lo que Armand miraba, por encima de los hombros desnudos y por debajo del escote del vestido.

El sutil y caro perfume que Madeleine se había puesto detrás de las orejas, bajo la barbilla y en el valle que se abría entre los senos se elevó hasta la nariz de Armand y le afectó de un modo tan poderoso que experimentó un repentino aguijonazo dentro de los pantalones. Se olvidó de Dominique y de los placeres que le aguardaban; sus pasiones, fácilmente inflamables, se centraron de repente en la inalcanzable Madeleine. Debemos recordar que el pequeño vestíbulo estaba lleno de gente, doce personas apiñadas, poniéndose sombreros, abrigos y guantes. Quizá fuera ésa la razón por la que Madeleine retrocedió unos pasitos hacia Armand mientras le ayudaba a ponerse la maravillosa capa verde oscura con el cuello de marta cibelina.

Como sabe todo el mundo que haya visto a Madeleine Beauvais en una pista de baile, tenía piernas largas y elegantes, y era casi tan alta como Armand. Con la espalda cerca de él, la cabeza le quedaba lo bastante cerca de su cara como para que las suaves ondas de cabello castaño oscuro le hicieran cosquillas en la nariz. Sólo tuvo que inclinarse una pizca hacia adelante –acto desapercibido en el ajetreo general que reinaba a su alrededor– y agachar un poco la cabeza para rozar con los labios la nuca desnuda de Madeleine en un beso tan leve y fugaz que pensó que nadie más se enteraría de que se lo había dado. Este mínimo roce desató aún más sus emociones a flor de piel, de modo que en su fantasía no fue la nuca lo que besaron sus labios, sino la boca.

Al cabo de un momento le sorprendió percatarse de no era el único que sabía que había besado a Madeleine con la misma delicadeza que una mariposa aleteando sobre una flor. No era que los actos o las palabras de cualquiera de sus amigos le diera motivos para creerlo; era algo de naturaleza más personal. A través de la larga capa que sostenía para Madeleine, y que colgaba entre sus cuerpos a modo de fina cortina, Armand la notó apretar el trasero contra su regazo. Y no se trataba de un breve roce accidental, sino que Madeleine restregaba el trasero contra él con sutil deliberación.

La sorpresa le hizo proferir un leve jadeo y respondió de inmediato a su gesto apretando el vientre contra ella. No cabía la menor duda: Madeleine contoneaba el trasero contra él aún con más firmeza, provocándole deliciosas sensaciones. Y todo el rato mantuvo la vista fija en el escote del vestido de satén blanco, las redondeces de las insumisas granadas y los pezones bermejos. Madeleine levantó las manos para cogerle la capa y envolverse en ella, cubriendo así las delicias que Armand contemplaba y las yemas de los dedos de ella tocaron los suyos brevemente.

El roce de sus manos fue accidental en extremo, o al menos ésa era la impresión que hubiera producido a cualquier otra persona del vestíbulo que lo hubiera observado. Pero para Armand fue como si un cable de alta tensión le rozase la mano y descargase en su cuerpo una corriente de miles de voltios. Sacudió convulsivamente la cintura contra el trasero de Madeleine y emitió un suspiro de asombro casi inaudible con la boca pegada al oído de ella. Madeleine se alejó de él y se volvió para mirarlo a los ojos y agradecerle que le hubiera sostenido la capa. Con media sonrisa le hizo saber que había sido consciente de lo que se le había endurecido velozmente dentro de los pantalones al sacudirse contra ella.

Y, a menos que Armand se estuviera engañando por una falsa y ávida esperanza en la tenue luz del vestíbulo, una expresión en los virtuosos y aterciopelados ojos castaños de Madeleine, le revelaba su consentimiento a dejarle apretar el báculo contra ella en alguna ocasión venidera, cuando éste estuviera en plena forma. Para rematar el asunto, por si Armand creía que tal vez el champaña le

17

llevaba a conceder demasiada importancia a un roce inocente y accidental de su trasero contra él, le tocó el miembro enhiesto.

Es decir, movió la mano oculta dentro de la larga capa verde hasta tocarle con el dorso. Y es más: cuando vio la expresión de intenso placer que reflejó su rostro, desplazó la mano bajo la capa encubridora y le estrujó el atributo entre los dedos durante un instante, antes de alejarse. Después de eso no cabía equívoco posible: ofrecía a Armand una amistosa invitación a demostrarle, cuando se presentase la ocasión, sus habilidades como amante.

Todo esto –desde el momento en que Armand le sostuvo la capa de cuello de piel, hasta que ella se apartó para cogerse del brazo de su marido– no duró más que tres segundos de reloj. Sus amigos merodeaban alrededor, poniéndose los abrigos y no había nada que ver ni que destacar. Sin embargo, para Armand fue como si hubiera mantenido un largo, delicioso e ilícito cortejo de la esposa de Pierre-Louis, con los correspondientes besos, declaraciones de amor, afectuosos abrazos, promesas de pasión y caricias de placer delirante. Todo eso culminó en el conocimiento cierto y aplastante de que la extraordinaria, devota y notablemente fiel Madeleine era suya después de ocho años de matrimonio con Pierre-Louis.

La razón de ese pasmoso cambio de actitud por parte de ella, se le escapaba, aunque las excitantes posibilidades que ofrecía sí estaban al alcance de su imaginación. Desde la primera vez que la vio, cuando era novia de Pierre-Louis, fue consciente de su sutil aura de sexualidad. Después de casarse, y durante los años que siguieron, había observado esa indefinible cualidad hacerse más y más poderosa, como si fuera una fruta preciosa madurando al sol de las atenciones maritales de Pierre-Louis. ¡Todo lo que necesitaba estaba ahora al alcance de su mano!

Como bien es sabido no hay amor sin secretos... esos deliciosos secretillos que unen a los amantes y deben ser preservados del conocimiento de cualquier otra persona. En los tres segundos que duró el notable y silencioso cortejo en el vestíbulo de un club nocturno, entre Armand y Madeleine nació un tremendo secreto de amor; un secreto que no sólo habría consternado a su marido sino que habría maravillado a los demás presentes, incluso al cínico Vincent, quien durante años había insinuado a Madeleine, sin el menor éxito, que él era el hombre que le convenía.

Aunque apenas era consciente de ello, Armand tenía una expresión algo perpleja y le temblaron las manos al ayudar a la rubia Dominique a ponerse su abrigo negro. Después de las despedidas, los besos en las mejillas y los apretones de manos, entró en el taxi con ella y dio al taxista la dirección de la casa de Dominique. Aún le hervía la mente por el gesto secreto de Madeleine cuando el taxi cruzaba las calles casi desiertas y, más por costumbre que por deseo, pasó el brazo por los hombros de Dominique y la abrazó mientras la besaba. Ella se recostó en él sosegadamente, Armand le desabrochó el mullido abrigo de cachemira y deslizó la mano por dentro para acariciarle los senos.

Dominique era una mujer con pechos más generosos que Madeleine; tenía, por así decirlo, un par de jugosos melones Charenton bajo el vestido y no las dulces granadas de Madeleine. En consecuencia, el sostén que sujetaba sus encantos frustró, como tantas otras veces, el deseo de Armand de palpar la carne desnuda. Desistió del intento hasta que pudiera desnudarla y en su lugar metió la mano bajo el vestido para acariciarle el muslo por encima de los lindes de las medias. La piel era tan lisa y tierna al tacto que su puntero, duro desde que Madeleine lo había pellizcado a través de la capa, brincaba dentro de los pantalones. Subió la mano por el muslo de Dominique hasta el ribete de encaje de las bragas de seda.

–Pero ¡qué hombre más impaciente! –susurró Dominique.

Ni que decir tiene que no se quejaba de lo que le hacía, pues separó un poco las rodillas para permitir que los dedos alcanzaran con más facilidad los ensortijados pliegues de carne de la entrepierna.

–¡Me excitas tanto, Dominique! –murmuró–. No puedo esperar. Hace una hora, en el club, cuando te vi bailar con Vincent, casi me hierve la sangre. Ya estaba casi fuera de la silla cuando te trajo otra vez a la mesa.

–¿Y qué pensabas? –preguntó ella en voz baja.

–Pensaba en darle un puñetazo y arrastrarte afuera a la calle y hacerte el amor en el portal oscuro más próximo.

La mano enguantada de Dominique descansaba levemente sobre el muslo de Armand. Se rió de sus palabras y siguió con los dedos la hinchazón de sus pantalones.

–¡Verdaderamente estás excitado, *chéri*! –exclamó–. ¿Es porque viste a Vincent intentando acariciarme el trasero?

Dominique no era del todo honesta en el modo de plantear la cuestión. Vincent no sólo había intentado acariciarle el trasero en la pista de baile, lo había logrado por completo. Le había palpado las deliciosas nalgas a través del vestido y las bragas tan a conciencia que sus curvas, tamaño, textura y la honda hendidura que se abría entre ellas se le imprimirían para siempre en la memoria. Ella no había hecho el menor intento por disuadirlo por la mejor de las razones. Era una mujer sensual que disfrutaba cuando le acariciaban el trasero, pero al margen de eso, Vincent era un hombre apuesto con una renta más que suficiente y no era demasiado fiel a su esposa, como demostraban sus actos.

De hecho, era el tipo de admirador que a Dominique le gustaba tener a su alrededor, pues así siempre tenía a alguien a quien poder llamar para que la llevara a cenar, al teatro, o a la cama. En el orden privado de cosas, Armand entraba en la misma categoría que Vincent, con el atractivo añadido que Armand no tenía esposa que distrajera sus atenciones.

–Cuando le vi manosearte estuve a punto de explotar de celos –dijo Armand, aunque hablaba tanto para convencerse a sí mismo como a Dominique–. No pude sino llevarte al instante de vuelta a la pista de baile y tocarte yo mismo el espléndido trasero para borrar el recuerdo de su perfidia. Y como has podido comprobar, estoy desesperadamente excitado desde entonces.

La respuesta era tan falta de franqueza como la pregunta. Cierto que había acariciado un poco el trasero de Dominique al bailar, pero la sensación había sido medianamente agradable y no furiosamente estimulante. Su presente estado de excitación se debía por entero al breve y del todo inesperado episodio con Madeleine.

–Estoy halagada, querido –dijo Dominique.

Volvió a reírse mientras le desabrochaba los pantalones y le metía dentro de ellos la mano enguantada para asirlo. Armand tembló al notar la suave piel de cabritilla contra la carne ardiente. Al salir del club se había colgado la bufanda de seda blanca alrededor del cuello pero no se había molestado en ponerse el abrigo. Estaba plegado en su regazo, ocultando los lentos movimientos de la mano de Dominique dentro de los pantalones desabrochados. Ahora le tocó a ella suspirar de placer cuando los dedos de Armand aletearon dentro de su cálida e íntima alcoba y ella le sacó totalmente el pomo fuera de los pantalones, de modo que podía empuñarlo en toda su longitud.

Como es natural, aunque a Dominique le daba mucho placer excitar a Armand, intentaba evitar que su juego fuera demasiado lejos. No por decencia o pudor malentendido, pues no poseía más decencia y mucho menos pudor que el propio Armand. Pero no deseaba aliviar su tensión física hasta que el miembro duro que estaba acariciando estuviera cálidamente albergado en el lugar más apropiado: su entrepierna. Y eso sería cuando llegaran al dormitorio y ella pudiera tumbarse y abrirse cómodamente de piernas.

Dominique oía cómo Armand tomaba aliento, jadeando de placer cada vez con más intensidad y lo soltó de inmediato. Acercó la mano a su rostro y le pasó el dedo enguantado por la fina y negra línea del bigote, luego le acarició la mejilla mientras le besaba, para amortiguar el leve quejido de decepción al ser abandonado a la buena de Dios. Dominique abría la boca contra la de él y la húmeda lengua le cosquilleaba los labios.

Debido a las caricias que los dedos de Armand le prodigaban en la lubricada fisura, también ella había llegado muy arriba en la pendiente del placer. Y a su vez, Armand se negó a dejarla llegar a la cumbre, de la que distaba poco. Sabía que moviendo un poco más la mano dentro de las bragas podía provocarle el éxtasis –la lengua de Dominique vagaba por su boca en una silenciosa pero apremiante súplica para que culminara el placer–, pero dejó de agitar los dedos sobre su recóndito botón.

No le quitó la mano de la entrepierna como ella había hecho con él. La dejó donde estaba, pero inerte, sin permitir que su tensión ni aminorase ni aumentase.

–¡Torturador! –exhaló ella en su boca abierta, apretándole fuerte la mano con los muslos, para obligarle a reanudar el juego.

Pero sabía muy bien que no haría tal cosa durante un

rato, pues ése era un entretenimiento que ya habían practicado juntos muchas veces. Lo ejercitaban en los taxis en los que circulaban de noche por París, en la oscuridad de teatros y cines, en los palcos de la Ópera y en los conciertos clásicos.

Se tentaban mutuamente hasta el mismo vértice de la explosión orgásmica mientras oían música de Poulenc o Honegger, por nombrar dos compositores, y mientras observaban diversos dramas modernos en el escenario o películas recién estrenadas en el cine de los Champs-Elysées. El truco consistía en detenerse dos segundos antes del trance, dejando a la víctima frenética de deseo insatisfecho. Y luego, cuando la elevada temperatura emocional se había enfriado un poco, normalmente la víctima aprovechaba la oportunidad para vengarse, aunque, en ocasiones, el agresor reanudaba el manoseo.

A veces él o ella calculaban mal la condición del otro y se detenían un segundo o dos demasiado tarde. Esto había ocasionado algunas que otras convulsiones memorables, como aquella en que, estando en el ballet, Dominique había gritado por el repentino éxtasis que Armand le había suscitado durante una representación de *Scheherezade*, mientras el escenario se llenaba de piruetas coloristas. Y en otra ocasión, Armand rebasó el límite debido a un momento de estimulación excesiva y había aliviado su arrobamiento en la palma de la mano de Dominique durante una película muy admirada de Jean Renoir.

Tras echar un vistazo por la ventana del taxi, Dominique comprobó que casi habían llegado a su destino. Sin embargo, ahora le tocaba a ella vengarse y, más que eso, desquitarse de Armand era una cuestión de orgullo. Volvió a meter la mano por debajo del abrigo que él llevaba plegado en el regazo, allí donde el apéndice se le empinaba fuera de los pantalones. En lugar de satisfacer sus expectativas una vez más por el convencional asimiento de su mano enguantada, en un momento de inspiración cogió un extremo de la larga bufanda de seda blanca que pendía de su cuello y lo enrolló rápidamente sobre su temblorosa verga.

—¡Oh, oh!, ¿qué vas a hacer, Dominique? —jadeó de inmediato.

—¿No quieres saberlo? —le susurró al oído, frotándole con las yemas de los dedos a través de la seda de la bufanda.

Le besó y un mechón de cabello rubio se derramó sobre el rostro de Armand. La suave caricia del cabello sobre la mejilla contribuyó a excitar deliciosamente los nervios ya tensos de Armand y a disparar sus latidos en una total pérdida de control. En su ardiente excitación intentó mover la mano entre los muslos de Dominique para liberarla y poder estimular su botón de nuevo. Pero Dominique juntó muy fuerte las largas piernas, impidiendo que llegara a su vulnerable guarida, mientras le atormentaba con deliciosa crueldad a través de la seda de su propia bufanda.

—¡Oh, sí... estoy segura de que te encantaría —murmuró ella con fiereza—, pero no voy a dejarte, aunque me lo supliques!

Sin embargo, incluso mientras decía estas palabras, temía haberle permitido llegar demasiado lejos. Armand arqueó la espalda contra el asiento del taxi, le temblaron las piernas y Dominique esperó notar el húmedo afluente de su pasión a través de la fina bufanda y los delicados guantes de piel de cabritilla. Y en ese mismo instante, el taxi tomó la curva y frenó bruscamente de un modo que casi los tira al suelo, mientras el taxista anunciaba con voz hosca que ya habían llegado.

El pobre Armand estaba a punto de llegar a otro destino, pero no le había dado tiempo. Dominique había retirado la mano, había abierto los muslos y había empujado la suya mientras él se sentaba, respirando hondo en un esfuerzo supremo por calmarse. No tuvo ocasión de abrocharse los pantalones sobre el tallo vibrante: el taxista se había dado media vuelta y le miraba mientras le decía el precio de la carrera. Armand se vio obligado a bajar del taxi con algunos problemas y el abrigo plegado sobre el brazo, en un intento por ocultar su estado. Pagó al taxista con una mano, mientras Dominique se reía en la acera del nerviosismo de Armand y de su victoria.

Hacía rato que el conserje se había ido a dormir y la casa de Dominique se encontraba en el primer piso. Apretó el interruptor para encender la luz y ella y Armand subieron las escaleras uno al lado del otro. Armand respiraba pesadamente como si estuvieran escalando una montaña en lugar de una escalera, y le rondaba con la mano libre, intentando con febril insistencia agarrarle la carne de la cintura a través de las ropas. Dominique se aprovechó de su condición deslizando la mano entre el cuerpo de Armand y el abrigo que le colgaba del brazo, hasta tocarle y asirle el miembro desnudo. Se echó a reír cuando saltó con furia en su mano enguantada.

–He ganado este asalto, amigo –dijo ella, dándole un largo y jocoso estrujón–. Has estado tan cerca que dos meneos más y mi mano habría acabado contigo.

–¡No! –jadeó Armand, con el rostro sonrojado de emoción.

–¡Sí! –replicó ella–. Ni siquiera ahora te costaría demasiado.

–¡Dominique... no!

En la euforia del momento, Dominique malinterpretó por completo el significado de su exclamación. Lo tomó como una simple negativa de sus pretensiones de victoria, en lugar del anuncio de una emergencia que era en realidad. Asió tensamente el equipo de Armand para evitar cualquier indeseado accidente antes de que pudiera meterlo en casa y tumbarse con las piernas abiertas con el fin de disfrutar de la culminación de lo que había comenzado en el taxi, pero, como estaba a punto de descubrir, la situación no era la que se imaginaba. Subieron tres peldaños más, hasta el descansillo, donde la escalera viraba, y fue entonces cuando las pasiones desatadas de Armand fueron demasiado fuertes para ser contenidas ni un minuto más.

Retiró los aferrantes dedos de Dominique y, antes de que pudiera hacerse una idea de lo que pretendía, la cogió por los hombros. Le dio media vuelta y la empujó violentamente contra la barandilla, de modo que por un momento Dominique creyó que se había vuelto loco y que iba a tirarla por el hueco de la escalera.

–Rápido, rápido –gemía él–. ¡Ayúdame, *chérie!*

Dominique estaba demasiado alarmada para distinguir sus palabras y mucho menos para entenderlas. En su desesperada condición, Armand había desencadenado acontecimientos demasiado urgentes –y quizá demasiado extraños– para que Dominique los comprendiera de inmediato. Ella había perdido el equilibrio y se abalanzaba hacia adelante con ambas manos con objeto de agarrarse a la barandilla de madera y evitar caerse, y de este modo, sin quererlo, adivinó la posición ideal que Armand deseaba que adoptara. Le subió el abrigo desabrochado y el veleidoso vestido de noche por la espalda y le bajó las bragas lila por los muslos con mano temblorosa y respiración jadeante.

–¡No! –exclamó Dominique bruscamente, comprendiendo por fin que iba a ser violada, no asesinada–. Esto es ridículo, Armand. Dos peldaños más y estaremos en casa.

Había desnudado las tiernas nalgas en forma de pera –haciendo así realidad la ambición de todos los hombres que habían bailado con ella esa noche–, pero sus emociones estaban demasiado cargadas como para acariciárselas. Se limitó a impelerse contra sus encantos desnudos con tanta fuerza que el temor de Dominique a ser arrojada de cabeza por la barandilla se hizo más agudo. Se había torcido uno de los zapatos de tacón alto cuando él la volteó y se tambaleaba precariamente, y notaba que le cedía el tobillo. Levantó el pie del suelo y se libró del zapato. Armand le separó las piernas con presteza y metió las manos entre ellas.

–Éste es un juego estúpido, no me gusta –dijo Dominique con enojo, intentando verle por encima del hombro.

Con una mano se cogió fuerte a la barandilla, mientras con la otra intentaba encontrar las bragas y subírselas. Pero todo había ido demasiado lejos para que cualquier protección fuera eficaz contra los urgentes deseos de Armand: tenía las bragas alrededor de las rodillas, su precioso encanto completamente expuesto a la violación que inflamaba la mente de Armand y los pies de éste entre los suyos para evitar que cerrara las piernas.

Dominique lanzó una exclamación al notar cómo los pulgares le abrían bruscamente el carnoso melocotón que había desnudado y otra al notar el palpitante roce de su aguja contra la cara interna del muslo. Intentó zafarse hacia adelante, lejos de él, pero para entonces le había rodeado por la cintura y, por delante, una mano entre las piernas la mantenía abierta.

–¡No, Armand! –protestó, mientras lo sentía entrar en ella de un fuerte empellón.

—Esto es ridículo —repitió irascible—, ¡deténte ahora mismo!

Por ridícula —y bastante inoportuna— que esta inserción no deseada pudiera parecerle a ella, para Armand era cuestión de vida o muerte. Su jueguecito en el taxi con la bufanda de seda lo había excitado hasta el vértice del frenesí y al asirlo fuertemente mientras subían la escalera había desatado las más profundas emociones, que campaban a sus anchas completamente descontroladas. El acto de penetrar en las cálidas y aterciopeladas honduras bastó para provocarle el orgasmo. En el mismo instante en que ella protestaba por su entrada, mientras aún la sujetaba con los dedos para mantenerla abierta, y sin más que un sólo movimiento de cintura, la inundó con su pasión.

—¡No puedo creerlo! —exclamó indignada, mientras él se zarandeaba contra su trasero desnudo en los estertores que suceden al éxtasis.

—*Je t'adore, je t'adore...* —murmuraba Armand de satisfacción.

Aunque la primera reacción natural al ataque había sido de conmoción y enojo, Dominique era una mujer que disfrutaba mucho practicando juegos sensuales, en particular con Armand, cuyo gusto por tales diversiones se equiparaba al suyo. Y ahora que el huracán había pasado, no tenía ninguna queja, de hecho le divertía el resultado del truquito de la bufanda. Y, además, no se podía negar que la espontánea y tremenda descarga de Armand había sido impresionante. Conocía a pocas mujeres que pudieran precipitar en sus amantes tan turbulenta reacción. Y cuando las manos de Armand le acariciaron el vientre desnudo, la excitación de Dominique, temporalmente reprimida, volvió a crecer.

El temporizador eléctrico instalado en el rellano para

ahorrar energía, apagó la luz y de improviso la escalera se quedó a oscuras.

«Mucho mejor», pensó Dominique; al menos nadie que llegase tarde a casa la vería con las bragas en las rodillas y el clavo de Armand metido en ella desde atrás. Dominique se retiró del elemento intruso en cuestión y se dio media vuelta dentro de los brazos de Armand que la rodeaban, para apretarse con ternura contra él.

—Dominique, eres maravillosa —susurró él agradecido.

Dominique le puso la mano en la nuca y le bajó la cabeza para besarlo. Con la otra mano le sostenía el manubrio húmedo, con la intención de hacerle saber que le había perdonado por su impetuosidad. Armand le palpó la espalda del vestido y le agarró las impecables nalgas, como en homenaje; un fiel satisfecho en el altar donde acababa de presentar su ofrenda. El beso de Dominique se hizo más exigente, pero no suscitó de inmediato la reacción deseada: parecía como si Armand quisiera pasar en la escalera el resto de la noche. Pero la necesidad de solaz de Dominique crecía rápidamente y deseaba quitarse la ropa y ser adorada con propiedad.

—Sabía que ganaría el asalto —dijo ella, en tono cariñoso—. No había necesidad de violarme en la escalera para demostrarlo. ¿Estás ya lo bastante calmado para recorrer el resto del camino hasta mi casa?

Pero se equivocaba al creerse la vencedora de ese jueguecito nocturno. Claro que para ella era imposible saber que lo que había inflamado en realidad las pasiones de Armand y le había arrebatado el sentido era en realidad el secreto de amor que había nacido entre Madeleine y él. La caricia de los dedos de Dominique en el taxi no había tenido más importancia que la última ola en la superficie de un río en plena crecida que se desborda de su cauce e inunda los alrededores.

El feroz embate de Armand en la carne tibia de Dominique y su instantáneo paroxismo de gozo no era el cumplido apasionado a sus irresistibles encantos que ella creía. Lo cierto era que en medio del delirio que había hecho presa en sus facultades, había sido del todo insensible al hecho de que era el cuerpo de Dominique el que estaba utilizando. En ese momento creyó ofrecer su frenético tributo a la mujer que más deseaba en el mundo: Madeleine.

Por fortuna y para el bien y la tranquilidad de la sociedad en general, semejantes momentos de total enajenación son raros. Un poco más tarde, en la cama, Armand era muy consciente de que era a Dominique a quien estaba haciendo el amor. Por supuesto era muy deseable, tumbada desnuda mientras excitaba con la lengua los prominentes pezones y las manos de ella le acariciaban la espalda. La lámpara de la mesilla de noche estaba apagada y, aunque las cortinas estaban corridas, la habitación estaba muy oscura. A pesar de eso, no se requería luz para ser consciente de que el vientre que estaba besando no era el de Madeleine ni tampoco el húmedo y enjundioso montículo donde hurgaban sus dedos.

La mano que buscaba su puntal con la familiaridad de un antiguo conocimiento no era la misma mano que le había estrujado un instante a través de los pantalones en el vestíbulo de Les Acacias. ¡Ojalá lo fuese! ¡Sus emociones estaban tan alteradas que creía que iba a descargar su arrobamiento en aquella mano en el preciso instante en que lo cogió!

—¡Está tan dura! —exclamó Dominique, acariciándolo vigorosamente; y Armand soltó un silencioso suspiro, lamentando que no fuera Madeleine quien le zangoloteasé y yaciera con las piernas abiertas para él.

Como es natural, tenía el aparato listo para cumplir

30

con su placentera tarea, pues ¿qué hombre no lo estaría, en la cama con Dominique desnuda? La montó enseguida, su vientre sobre el de ella, y lo internó en su acogedor receptáculo. Pero su febril fantasía se entretenía con Madeleine mientras la cabalgaba raudamente. Imaginó que las largas piernas de Madeleine se ceñían a su espalda y los talones le golpeaban el encabritado trasero con placer. Se convenció de que los senos que aplastaba contra su pecho eran los de Madeleine y también la tórrida boca aferrada a la suya.

Cuando llegó el momento culminante, fantaseó que era en el suave vientre de Madeleine en donde vertía su éxtasis y que ella profería los maravillosos gritos y gemidos de satisfacción que oía. No obstante, a pesar de todo ello y de la liberación orgásmica de la que había disfrutado, cuando se separó de Dominique y se tumbó a su lado para abrazarla, se sintió algo desilusionado.

–Ha sido muy bonito, Armand –le dijo Dominique en tono satisfecho, casi como un gatito restregando la cabeza contra él.

Sin duda no sospechaba nada del secreto de amor que ocultaba, incluso durante aquellos momentos tan íntimos en los que la penetraba, que no era de ella sino de otra mujer de la que gozaba. Incluso podía decirse, sin riesgo a equivocarse, que Dominique se beneficiaba bastante del secreto que enturbiaba el placer que Armand derivaba de su magnífico cuerpo. Apenas se había recuperado del primer asalto, cuando la verga de Armand volvía a activarse en su mano, le besaba apasionadamente los pechos e internaba los dedos entre sus muslos. De hecho, el poder de la fantasía le impelía a perpetrar grandes hazañas esa noche y Dominique fue el agradecido receptáculo de su falsa y engañosa pasión dos veces más antes de que la permitiera dormirse.

31

Después de tan intensa y repetida gratificación, Dominique se durmió profundamente, pero alguna vez, durante la noche, se sintió arrastrada a regañadientes hasta la consciencia por un insistente movimiento en su entrepierna. Abrió los ojos un momento. La habitación estaba aún a oscuras. Se hallaba tumbada de espaldas con las piernas abiertas y las mantas echadas a un lado para destapar su cuerpo desnudo por completo. Se pasó la mano por el vientre para espantar aquello que turbaba su descanso y tocó una cabeza. Era Armand, claro está, acuclillado entre sus piernas hundiendo la lengua profundamente en su bien aprovechada alcoba.

—Pero ¿qué estás haciendo? —preguntó con una voz empañada por el sueño.

—Humedeciéndote, *chérie* —le respondió, paralizando su tarea.

—No... basta, Armand. Estoy demasiado cansada.

—Sólo una vez más —murmuró—. Seré breve, Dominique.

—Ahora no —dijo ella perezosa, empujándole la cabeza para que parara—. Duérmete y déjame en paz.

—Estaba dormido, pero soñé que estábamos haciendo el amor. Tú llevabas un vestido largo de satén blanco con una gran raja sobre el vientre para que yo pudiera meterte mano y palparte. Y justo cuando me ponía encima de ti, me desperté tremendamente excitado.

—Mmmm —suspiró, sumiéndose otra vez en el sueño ahora que la lengua de Armand ya no perturbaba su zona más sensible.

Naturalmente, Armand no decía la verdad. Soñaba con Madeleine y era su tierno vientre el que soñaba acariciar a través de la gran raja del vestido blanco. Y a pesar de las repetidas satisfacciones que había experimentado con Dominique antes de dormirse, el sueño había sido tan real que se despertó con el indómito miembro buscando inmediato alivio y frotándose contra la sedosa sábana. Mientras los retazos del sueño se desvanecían, Armand se rió por dentro de pensar que si no se hubiera despertado, su resuelto miembro se habría restregado contra la suave sábana hasta derramar su pasión.

Era imposible no cogerlo en la mano y consolarlo un poco, pero se negó a ser confortado y le demostró con gran claridad que nada que no fuera un total vaciado de la pasión lo aplacaría lo suficiente como para permitirle conciliar el sueño. Y, aunque Madeleine no estaba disponible, la hermosa Dominique yacía desnuda junto a él, aunque ajena a su necesidad. Si la despertaba se exponía a un rechazo; le pareció mejor destaparla con cuidado y prepararla para ser penetrada antes de que se percatara de lo que sucedía.

El hecho de que se hubiera despertado y negado categóricamente a sus atenciones, carecía absolutamente de valor para un hombre en el estado de Armand. Esperó hasta que un ligero ronquido le avisó de que había vuelto a dormirse y se puso a cuatro patas entre su cuerpo desnudo. Despacio, muy despacio, apenas un centímetro cada vez, bajó la cintura hasta que la punta de su bastón le tocó ligeramente el fino vellón de la entrepierna. Se movió una fracción de centímetro y notó el roce de los labios que había humedecido con la lengua. Ella se agitó un poco en sueños y murmuró algo ininteligible.

Con la mayor precaución, se desplazó hacia adelante, lo suficiente para asegurarse de que se colocaba con precisión en la boca de la entrada. El contacto con la cálida carne había despertado temblores en su impaciente aparato y el movimiento hizo que Dominique volviera a despertarse, y ¡oh, qué desastre! Armand notó que empezaba a darse la vuelta para alejarse de aquello que la perturbaba. De inmediato se hundió en sus aterciopeladas oquedades y, aún sujetándose en manos y rodillas, de modo que ninguna otra parte de su cuerpo la tocaba, entraba y salía de ella a una velocidad vertiginosa.

—¡Mmmmmf! —farfulló ella, despertándose de un sobresalto—. ¿Qué?

Para entonces el acto estaba consumado: la pasión de Armand derramada en su vientre y, antes de que fuera lo bastante consciente como para identificar las sensaciones que la habían desvelado del sueño, él había terminado se había retirado y yacía a su lado, temblando felizmente en el epílogo de la consumación.

—Armand —dijo ella, sacudiéndole por el hombro desnudo—, he tenido un extraño sueño. ¿Qué me has hecho?

—Vamos, vamos —la tranquilizó él, abrazándola—, ya pasó. Vuelve a dormirte, *chérie.*

El apéndice saciado había perdido su dureza y Armand se durmió acurrucado junto a Dominique. Pero incluso después de aquel placer nocturno y furtivo, poco antes de que rompiera el alba los sueños y el sostenido contacto del trasero cálido y desnudo de Dominique contra él, le excitaron. Y momentos más tarde, Dominique, que había dormido bien y estaba más receptiva, se despertaba del modo más agradable al notar que le acariciaban las turgentes nalgas. Se encontraba a su lado, con las rodillas levantadas, dándole la espalda al perpetrador y, medio adormilada como estaba, no le importó cuál era la causa de esas deliciosas emociones.

Yacía inerte, disfrutando perezosamente de lo que le estaba haciendo y, a su debido tiempo, sintió unos dedos atentos hurgando entre los pétalos carnosos de su entrepierna de la manera más delicada que imaginarse pueda. Un minúsculo suspiro escapó de sus labios cuando los avezados dedos le acariciaron el botón secreto y se asegu-

raron de que estaba húmedo y presto. Al cabo de un momento una mano subió por el muslo y los dedos la abrieron preparándola para algo más grueso y más grande que se insertaba en ella despacio. Dominique murmuró:
–Es tan agradable... –cuando notó que los brazos la abrazaban y las manos jugaban con sus tiernos melones.

Para entonces ya había llegado a un nivel de consciencia suficiente como para recordar que era Armand el que dormía con ella esa noche y apretó el trasero contra él para hundirlo más dentro. La punta de la húmeda lengua de Armand le rozaba la oreja mientras él bregaba contra las elegantes nalgas hasta que llegaron juntos a los momentos del éxtasis. Dominique no había abierto los ojos durante este temprano episodio matinal. Estaba echada pasivamente, temblando por las adorables sensaciones. En cuanto se desvaneció la palpitación, volvió a dormirse, antes incluso que Armand se retirara de ella.

Claro que si hubiera adivinado lo que éste pensaba mientras la complacía –la fantasía tras sus párpados cerrados de que estaba en la cama con Madeleine–, Dominique se habría puesto furiosa, le habría gritado que saliera de su casa, lo habría empujado desnudo por la escalera y lanzado la ropa por la barandilla. Pero, por suerte para ella, ni siquiera sospechaba este secreto. Dominique durmió plácidamente hasta el mediodía, con el cabello rubio sobre la frente y un redondo pecho de cima coralina completamente desnudo debido al modo en que habían quedado las arrugadas sábanas y a su desprecio por los camisones.

Pero para su sorpresa, cuando por fin se despertó, Armand no estaba junto a ella en el lecho tibio, para besarla y murmurar: «Bonjour, ma chérie» como siempre había hecho cuando se quedaba con ella. Llamó para que la doncella le sirviera el café del desayuno y se sorprendió al oír que le había visto salir silenciosamente por la puerta del apartamento a eso de las ocho de la mañana. La doncella dejó la bandeja sobre el regazo de Dominique y se entretuvo en la habitación, recogiendo el vestido de noche corto de color mandarina, las medias de seda y las arrebujadas bragas lila que estaban tiradas en la alfombra desde que se había desnudado precipitadamente la noche anterior.

Recostada cómodamente sobre la almohada, Dominique sorbió el café con una mano dentro de la cama descansando en la entrepierna, a modo de tierno recuerdo de los placeres de la noche y el alba.

–Me pregunto por qué Armand se ha levantado y se ha ido tan pronto –estaba pensando–. Anoche no podía quitarme las manos de encima... Creo que incluso me poseyó mientras dormía, a menos que fuera un sueño. Estoy segura de que se ha enamorado de mí.

2
La ambigüedad de la entrega

Cuando una mujer, y en particular una mujer casada, mira a un hombre con cierta expresión en los ojos, éste comprende que ha decidido aceptarle como amante. Los encantos íntimos del cuerpo de la mujer se pondrán a su disposición y, a cambio, se espera de él que la adore y la estime, además de complacerla. Para Armand fue obvio y evidente cuando Madeleine le miró de ese modo, pero transformar la promesa tácita en la deliciosa realidad de unos pechos desnudos a los que besar y unos largos y esbeltos muslos abiertos en los que hacer una entrada triunfal, resultaba complicado y frustrante.

La primera vez que intentó telefonearla para acordar una cita, respondió Pierre-Louis, su marido, y tuvo que inventar un motivo más o menos convincente por el que Armand deseaba hablar con él. En el segundo intento, más tarde en ese mismo día, la doncella respondió al teléfono y le comunicó que Madame Beauvais había salido. Armand creyó prudente no dejar su nombre, por si la doncella le daba el mensaje al marido en lugar de a la esposa.

Al día siguiente, cuando lo volvió a intentar, por fin logró hablar con Madeleine. Pero, para su consternación, el tono de voz era tan frío como si sus profundos ojos castaños nunca le hubieran mirado con la secreta oferta de una deliciosa rendición brillando en ellos, o como si el dorso de su mano nunca le hubiera rozado ligeramente el frontal de los pantalones cuando nadie miraba. En su consternación, Armand creyó necesario proceder con

37

mucha cautela; le insinuó que fueran a tomar algo a algún lugar agradable cuando ella saliera de compras o quizá incluso a comer, si tenía tiempo.

Para un hombre cuyo deseo era tan intenso que había salido de la cama de otra mujer por ella –sin ninguna intención de regresar jamás–, estas sugerencias eran ridículamente insuficientes e insatisfactorias. Pero era evidente que Madeleine había recapacitado a la luz del día, ciertas implicaciones de sus actos en el vestíbulo del club nocturno. Quizá un exceso de champaña había hecho flaquear sus habituales defensas y le había hecho traicionar el deseo prohibido que su corazón ocultaba. Y sin embargo –pensó Armand–, de entre todos los hombres que conocía, a él le había permitido la breve visión de lo que se escondía tras el velo de los convencionalismos.

A pesar de eso, por el tono de Madeleine tenía la inequívoca impresión de que precipitar las cosas en el presente era arriesgarse a un enérgico y tal vez definitivo rechazo. Sería más productivo dejar que las cosas siguieran su propio curso, hacerle sentir que su devoción era permanente, pero no molesta, y aguardar con la esperanza de que, en breve, la curiosidad –por no hablar del deseo secreto que ella le había permitido vislumbrar– vencería los escrúpulos y la llevaría a arrojarse en sus brazos.

Pero, por respetuosa que fue su insinuación, no surtió efecto alguno. Madeleine dijo que estaba demasiado ocupada como para citarse con él y algo en su voz –cierta distancia– sugería que no se le ocurría el motivo por el que la había telefoneado con aquellas invitaciones impropias. Parecía como si la virtud y la fidelidad se hubieran reafirmado poderosamente en su corazón. Armand colgó el teléfono desilusionado. Su amor propio se había deshinchado igual que esa parte de él que se había elevado solícito al descolgar el auricular para hablar con ella.

Decir que las mujeres son famosas por cambiar de opinión no es más que un lugar común. Al cabo de un par de días de su desalentadora respuesta a las insinuaciones de Armand, Madeleine le telefoneó a las nueve de la mañana para decirle que quería consultarle algo importante. En esta ocasión la distancia glacial había desaparecido de su voz, hablaba con la calidez de una amiga. De hecho, su voz poseía cierto rasgo inequívoco que sugería algo más allá de la amistad. Era el equivalente a la expresión de sus ojos que le había dicho: «Sí, puedes poseerme». En cuanto la oyó, Armand estuvo seguro de los motivos de su consulta.

Madeleine le dijo que acudiría a su apartamento en la Rue de Turbigo a las tres de la tarde y para ambos ese día cambiaría el rumbo de sus vidas. Mientras la esperaba consumido por la impaciencia. Armand sintió que estaban a punto de otorgarle una gran bendición, y tal es el orgullo masculino que la creyó muy merecida. Al fin y al cabo, él era el amante más encantador y diestro que conocía. Y el hecho de que Madeleine le hubiera elegido tras rechazar a tantos pretendientes durante los ocho años de matrimonio con Pierre-Louis lo confirmaba.

Sólo un hombre extraordinariamente vanidoso –y con tendencia al romanticismo– albergaría semejantes ideas. El hecho de que Armand lo hiciera da testimonio no sólo de su engaño sino también de la rara atracción que Madeleine ejercía sobre los hombres. Al fin y al cabo, Armand había llegado a los treinta soltero y disfrutando de la intimidad con bastantes mujeres como para saber que, rubia o morena, gordita o esbelta, con melones o granadas, pasiva o clamorosa en la cama, las mujeres están cortadas por el mismo patrón en todo el mundo, pues así es como ha dispuesto las cosas una benévola providencia para deleite de los hombres.

Y también los hombres, unos centímetros más unos centímetros menos aquí o allá, están hechos según un modelo común. De eso se deduce que las numerosas formas en que hombres y mujeres pueden darse mutuo placer con sus cuerpos, son limitadas. El imposible *Kama Sutra* y otros libros de gimnasia oriental pueden catalogar los detalles de sesenta y cuatro formas distintas y darles nombres poéticos, pero la mayoría de europeos se contentan con media docena como mucho y ciertas personas sin imaginación con sólo una, y la más obvia.

Baste con decir que la más huidiza y menos concreta de todas las emociones –el amor–, capaz de elevar la transacción física más vulgar entre el hombre y la mujer hasta una experiencia realmente divina, no depende de la agilidad de los amantes. Tampoco depende de las apariencias, pues las mujeres hermosas a menudo eligen a hombres feos como amantes, y por todas partes se puede encontrar hombres guapos que son encarecidamente fieles a mujeres absolutamente normales. En cuanto al carácter, eso no tiene nada que ver, pues todo el mundo conoce casos de hombres o mujeres de buen corazón locamente enamorados de compañeros de mala reputación.

Tampoco el amor, como tal, figuraba en un lugar destacado entre los pensamientos de Armand mientras aguardaba a Madeleine. Arder de deseo, claro; placer extasiante ah, sí; satisfacción inmensa... ¡una y otra vez! Pero, al fin y al cabo, ¿quién sabía lo que iba a pasar? Según la filosofía de Armand era mejor disfrutar del momento que transcurre sin preocuparse por el venidero; había descubierto que semejantes asuntos tenían un modo de arreglarse solos. Había ocasiones en que se había enamorado apasionadamente de la joven que le interesaba en sólo un momento y estar enamorado le había hecho delirantemente feliz; una vez le duró seis meses.

Almorzó pronto en uno de los pequeños restaurantes que frecuentaba con regularidad cerca de su apartamento: una comida ligera, no más de media botella de buen borgoña y sólo un poco de coñac con el café. De nuevo en casa, se desnudó y se duchó con un costoso jabón de baño que dejaba un sutil y agradable rastro de perfume por todo el cuerpo. Su instrumento empezó a oscilar en la mano cuando lo cubrió con cremosa espuma de jabón blanco y aunque intentó dirigir la atención a otra parte, creció y se endureció hasta erguirse tieso bajo la cálida cascada de agua que caía de la ducha.

—Aún no, idiota —se dirigió a su parte erecta—. Debes tener paciencia otra media hora. Vuelve a bajar y duerme hasta que llegue Madeleine... luego necesitarás toda tu energía. Te prometo que te daré libertad para hacerle lo que quieras.

Lejos de calmar a su obstinado compañero, la promesa sólo empeoró las cosas; saltaba bajo el chorro, con la cabeza púrpura descubierta y henchida de orgullo.

—¡No, no, no... me niego a darte lo que pides! ¡Debes aguardar! —exclamó Armand, furioso por la idea que se insinuaba con persistencia en su cabeza.

Para demostrar sin ningún género de dudas quién mandaba, cogió el grifo de la ducha, apretó los dientes y lo giró rápidamente, dando un tortuoso baño de agua helada al impúdico amotinado. Permaneció todo el tiempo que fue necesario —quizá medio minuto— hasta que la rebelión fue sofocada y aquel que había estado irguiendo la cabeza hasta el ombligo, ahora pendía hundido y derrotado, antes de cerrar el agua y secarse.

Se vistió con gran cuidado, para presentarse airoso y distinguido, elegante y sin embargo no demasiado formal. Además de producir en Madeleine la impresión correcta, eligió prendas que pudieran quitarse con presteza y con el mínimo revuelo; pocas cosas impacientan más a una mujer que esperar desnuda, excitada por besos y caricias, mientras su amante lucha con los botones de la camisa o los lazos de los zapatos. Armand se puso unos calzoncillos de seda a rayas blancas y verdes claras y se dirigió directamente al guardarropa antes de decidirse. Eligió una camisa de seda de color marfil, con pantalones *café-au-lait* y una chaqueta de mohair sin solapa de color tabaco.

Sacó una corbata y un pañuelo a juego para el bolsillo del pecho, y de pie ante el espejo de su dormitorio estudió el resultado. Le agradaba su aspecto. La fina línea del bigote estaba pulcramente recortada y le añadía cierta distinción al labio superior, el cabello se disponía en rizos alrededor de las sienes y en la nuca, rizos que muchas mujeres encontraban irresistibles y en los que enrollaban los dedos mientras las besaba, dedos que a menudo llevaban los anillos de boda de otros hombres además de los diamantes habituales.

Nadie espera que las mujeres lleguen puntuales y sólo un completo idiota exigiría puntualidad a una joven deseable que se dirige a casa de un hombre para un *rendez-vous* amoroso. Llegar a la hora acordada sería admitir que sus pasiones eran tan fuertes como las de él –quizá aun más fuertes–, confesar sin palabras que ardía por sentir la boca en la suya y las manos en sus pechos. Todo esto podía muy bien ser cierto, pero ninguna mujer de mundo dejaría tanto poder en manos de un amante.

El amor propio, por no hablar de una demostración externa de pudor imaginario, exige que una mujer llegue tarde a la cita con su amante. De este modo intenta dar la impresión de que no está allí por placer, sino por generosidad de alma: concede un gran favor al hombre insistente condescendiendo a reunirse con él en privado.

Consciente de esto, Armand no se sorprendió en lo más mínimo de que Madeleine llegara un cuarto de hora tarde. El tiempo otoñal no era frío, pero ella vestía un soberbio abrigo largo de zorro plateado y un sombrerito acampanado con un alfiler de diamantes prendido encima de una oreja.

Quizá después de todo soplara un fría brisa en la acera de la Rue de Turbigo, pues las arreboladas mejillas de Madeleine presentaban un encantador tono rosado. O quizá no tuviera nada que ver con el tiempo otoñal, pues bien podía haber sido una indicación del fuego que ocultaba su corazón. Armand aceleró los saludos en la medida en que los buenos modales le permitieron, su impaciencia empeoró ahora que ella estaba en persona en su casa. Le besó las manos enguantadas una después de la otra y luego, cuando se quitó los guantes, se las volvió a besar, esta vez las suaves palmas y luego la cara interna de las muñecas, donde la fragancia de su delicioso perfume casi le hizo rodar la cabeza.

Se colocó a su espalda para ayudarla a quitarse el precioso abrigo de piel y antes de que le diera tiempo a colgarlo, Madeleine se dio la vuelta y apretó el cuerpo contra el de él, le pasó los brazos alrededor del cuello y le besó con ardor. Tenía el abrigo colgando de un brazo y sólo podía emplear una mano para acariciarle la espalda a través de la ropa. Pero cuando, ella unió la boca a la suya, le quitó un brazo del cuello y bajó la mano entre sus cuerpos hasta tocar el bulto grande y duro que le crecía en los pantalones, Armand dejó que el abrigo de pieles cayera al suelo y empleó las dos manos para amasarle las gráciles nalgas.

En menos de dos minutos estaban en el dormitorio y ella le permitía disfrutar del enorme placer de desnudarla. Debajo del zorro plateado vestía un elegante jersey de lana fina y manga larga, a franjas diagonales blancas y negras, y una falda de color carbón que caía en finas listas hasta un dedo por debajo de la rodilla. Ceñía el jersey un cinturón ancho de lustroso cuero negro con una sofisticada hebilla redonda de oro. Se quitó el sombrero y lo arrojó junto con los guantes sobre la silla más cercana, luego tendió los brazos a Armand en un encantador gesto que significaba: «Soy tuya, haz conmigo lo que te plazca».

La providencia la había dotado de unas piernas largas y esbeltas, y Madeleine era casi tan alta como Armand. Se hallaban de pie juntos al lado de la ancha cama y Madeleine levantaba levemente hacia arriba la cabeza hermosamente peinada con esmero para recibir un beso. Armand sostenía el rostro oval entre las manos mientras le deparaba infinitos besos en la boca carnosa y los ojos, en las cejas oscuras levemente fruncidas y en la amplia y despejada frente. Como es de imaginar, para entonces, el rebelde que habitaba dentro de los pantalones de Armand reclamaba en silencio la oportunidad para que le permitieran hacer lo que mejor sabía. Pero no era el momento de precipitarse y Armand la había besado hasta casi perder el resuello antes de tocarle los pechos, perfectamente perfilados bajo la adherencia del jersey.

¡Ah, que instante más vertiginoso cuando las manos de un amante acarician un suave pecho y el aliento escapa de la boca en suspiros de muda apreciación! En opinión de Armand, era sorprendente que a pesar de que casi todos los pintores que han sostenido alguna vez un pincel se han complacido pintando al óleo a su amada con los pechos desnudos, pocos poetas han celebrado en verso la alegría de sentir los cálidos globos de una mujer. El memorable poema de Verlaine *Doble pareja* constituía una excepción:

Pechos donde las manos se regocijan de placer,
grandes pechos, poderosos, orgullosos y tentadores,
rodando y oscilando, sabedores de que nos vencen,
con una amorosa mirada furtiva a nuestra sumisión.

Pero Verlaine era un caso especial, y al margen de él, la falta de interés de los poetas por los senos podría considerarse una desgracia.

Cuando los amables dedos de Armand aprendieron para su satisfacción la forma de las suculentas granadas de Madeleine y ella se apoyó en él con las rodillas algo temblorosas, Armand buscó la hebilla del cinturón y la exploró unos segundos antes de descubrir el secreto de su abertura. La abrió y dejó que el cinturón cayera sobre la alfombra. Sin embargo, antes de que pudiera meterle mano en el costoso jersey, quizá debido a la intensidad de su ardor, deformarlo, Madeleine retrocedió un paso, cruzó los brazos y se lo quitó ella misma. Sus temores eran infundados, pues Armand distaba mucho de ser un torpe principiante en el delicado arte de desnudar mujeres bonitas. Pero Madeleine había sido una esposa fiel durante ocho años y no estaba familiarizada, por decirlo de algún modo, con las sutilezas de los manejos de un amante.

Armand le desabrochó la cinturilla de la falda con dedos hábiles y dejó que resbalara con revuelo por sus medias hasta el suelo del dormitorio. Madeleine dio un paso para salir del círculo que formaba la falda y se desembarazó de los lustrosos zapatos negros con un movimiento improvisado de los esbeltos tobillos. Armand profirió un suspiro de dicha y la contempló en un arrebato de admiración. Y no era para menos, pues también ella había pensado un poco en lo que se pondría para encantarle e impresionarle en esta ocasión de incalculable importancia. En consecuencia, la ropa interior que había elegido para él era sencilla pero, sin embargo, de una arrebatadora belleza.

En intencionado contraste con la severidad blanquinegra de la ropa exterior, vestía una combinación de seda color clavel encendido, con un escote recto que mostraba el nacimiento de los senos. Se sujetaba a los hombros redondeados por las más finas tiras, se ajustaba tanto al cuerpo que se distinguían las puntas de los senos pugnando contra ella y la seda modelaba a la perfección la grácil curva del vientre. En la pechera de la combinación un delicado dibujo de flores, capullos y hojas bordado a mano, adornaba el espacio entre los puntiagudos pezones.

—¡Eres adorable! —susurró Armand.

A pesar de su experiencia con las mujeres y su facilidad de palabra, durante unos segundos apenas pudo articular palabra debido a la fuerza de las emociones que se desataban en su corazón al ver a Madeleine en ropa interior. Madeleine sonrió ante las parcas palabras que él murmuró y las aceptó como un cumplido, pues, a pesar de su banalidad, son exactamente las que toda mujer espera y exige oír de su amante.

El bajo hermosamente bordado de la combinación llegaba un palmo por debajo de la juntura de sus largos muslos, de modo que permitía ver un poco de la pernera de las sedosas bragas rojas a juego. Y mientras Armand se perdía en un insólito ensueño, Madeleine se quitó la combinación y le dejó ver el dibujo floral que se repetía en los costados de las bragas, desde la cintura hasta la pierna. Tendió los brazos hacia él para recibirlo y de inmediato él se arrodilló a sus pies, presionando con los labios la cálida carne de su vientre, rodeándole las piernas con los brazos e introduciendo la mano dentro de la ropa in-

46

terior para sujetar las satinadas nalgas de su culo bien formado.

En ese momento no hizo comparaciones mentales, no hizo balance de los encantos de las ovales y suaves nalgas de Dominique que acababa de frotar tan lascivamente en la cama, contra el refinamiento de las tensas y redondas nalgas de Madeleine que ahora palpaba. De hecho, en su exaltación mental había olvidado por completo a Dominique y no podía pensar en nada que no fuera Madeleine. Con el ojo del amante para el detalle, notó que el límite superior de la delicada prenda de seda se hallaba a nivel del ombligo, medio ocultándolo, medio mostrándolo, pero, en cualquier caso, atrayendo la atención sobre él.

Con mano ligeramente temblorosa de la excesiva emoción, bajó la seda un centímetro para descubrir sus encantos del todo. Era, tal y como pensaba, extraordinariamente bello, de una perfecta redondez y profundidad, como un hoyuelo encantador. Metió la húmeda punta de la lengua dentro y oyó el suspiro de Madeleine que enredaba los dedos en su cabello.

En la entrepierna divisó una delicada sombra, allí donde la vaporosa seda transparentaba los rizos. Apretó la boca y le arrancó una leve exclamación de agradable sorpresa al notar la caricia de su tibio hálito a través de fina seda. Le bajó las bragas por los muslos hasta que se revelaron los rizos castaños que le adornaban el montículo. Con manos ansiosas le agarró fuerte el trasero desnudo mientras le besaba el vellón y dejaba aletear la punta de la lengua entre los suaves labios rosados que ocultaban los rizos.

Pero por excitantes que fueran sus acciones, Madeleine era una mujer casada de veintinueve años, y estaba acostumbrada a descansar cómodamente de espaldas cuando su marido le presentaba sus respetos, no a permanecer de pie. Se zafó del amoroso abrazo se Armand y trabada como estaba por las bragas alrededor de las rodillas, dio dos pasitos y se sentó a un lado de la cama para quitárselas. Cruzando las piernas, una después de otra, se quitó los lujosos ligueros e hizo rodar las medias de seda.

Armand se desnudó rápidamente mientras Madeleine observaba interesada, posando con gracia, la espalda apoyada en el cabezal, un brazo plegado debajo de la cabeza que mostraba una axila lisa y depilada, y una rodilla ligeramente levantada. Observaba minuciosamente el cuerpo, los hombros rectos y los rizos negros del pecho, la cintura estrecha y las largas piernas de Armand. Ciertamente tomó detallada nota de esa preciada parte con la que estaba a punto de familiarizarse íntimamente.

Armand bajó la vista admirándose de sí mismo, sabedor de cómo fascinaba a las mujeres su firme reciura. Temblaba de excitación, igual que un caballo de carreras bien entrenado piafa ante la línea de salida, anhelando el momento en que la fusta del jinete le precipita a la carrera y salir volando como si tuviera alas en las patas, preparado para alcanzar y saltar la primera valla.

Madeleine se hizo a un lado cuando él se subió a la cama y se tumbó junto a ella, quizá para hacerle sitio, pero probablemente para el propósito más interesante de balancear los elegantes senos y atraer su atención. Armand recordó las palabras de Verlaine sobre los senos —*orgullosos y tentadores*— al poner por primera vez los labios en ellos y luego la húmeda lengua en los prominentes pezones cárdenos.

En esa inolvidable primera vez con Madeleine, sin quererlo se había excitado tan extraordinariamente al verla y acariciarla en la espléndida y sedosa ropa interior, que sabía que el tiempo entre penetrarla y liberar su esencia sería muy breve. Por tanto era de desear que Madeleine estuviera al menos igual de excitada antes de que le endilgara a su imperioso amigo. Había leído en alguna parte, aunque no podía recordar dónde, que la duración media de un hombre desde la inserción hasta la emisión es de ¡tres minutos!

El mismo artículo también informaba de que en una mujer el tiempo medio desde ser atravesada hasta el instante del orgasmo es de: ¡ocho minutos! Si este desequilibrio era cierto en los lances amorosos corrientes –aunque resultaba difícil imaginar por qué la Naturaleza toleraba tal inconveniencia–, ¡cuanto más grande sería la desproporción en esta ocasión singular! No existía la más mínima posibilidad de que Armand durase tres minutos después de hacer su magnífica entrada en la tibia madriguera de Madeleine.

Jugó con los pezones hasta hacerla temblar de la cabeza a los pies y su aliento manaba rasposo a través de la garganta, antes de cogerla por las caderas, bajarla desde el cabezal y arrastrarla hasta tumbarla sobre el lecho.

–Armand... oh, Armand –le gustó oírla murmurar, reconociéndolo como un signo de su estado de excitación.

La situación se prometía feliz, pero Armand se aseguró de que estaría preparada para responder instantánea y completamente cuando llegara el episodio orgásmico, bajándole la satinada sábana y separándole las piernas con cuidado. Al cabo de un momento le besaba el cálido vientre, cerca del pulcro triángulo de rizos castaños. La ingle olía a la delicada fragancia de su perfume: el Chanel que había reconocido detrás las orejas y entre los senos. Le halagaba pensar –¿qué hombre no lo habría hecho en su caso?– que normalmente Madeleine no se rociaba perfume entre las piernas: lo había hecho ese día especialmente para él, adivinando que la besaría ahí.

Para intensificar la expectación le dio lentos y vagos besos mientras subía por el satinado interior de los muslos, hasta un centímetro del vellón. Vio como levantaba el trasero de la cama y separaba más las piernas anticipando ese beso en los carnosos y rosados labios que asomaban entre los rizos, y oyó como inhalaba raudo aliento mientras él la engañaba: en lugar de hacer lo que ella esperaba, la cogió por los muslos mientras lentamente subía la lengua por el tembloroso vientre hasta el ombligo. La punta de la lengua lo exploró durante un instante, luego bajó justo por encima de su precioso triángulo ensortijado y volvió a subir por el vientre; repitió el gesto hasta que ella jadeó sin cesar.

Aturdido de deseo, sabía que debía realizar un juicio experto del estado de excitación de Madeleine, pues habría sido un fracaso excederse una milésima y precipitarle el clímax antes de estar dentro de ella. Abandonó el húmedo vientre y su lengua aleteó en la perfumada ingle hasta que Madeleine se abrió de piernas todo lo que pudo, entregándose a él en total rendición. Por fin Armand besó con audacia el tierno objeto de deseo y casi de inmediato, bajo sus insistentes atenciones, los suaves pétalos de carne se abrieron para mostrar su lúbrico interior rosado.

—¡Armand... voy a desmayarme! —jadeó, distendiendo e hinchando el vientre al compás de las aplastantes sensaciones que le provocaba su lengua.

«Está preparada —pensó ardorosamente, observando como arqueaba la espalda y contoneaba el trasero sobre la cama, con el rostro arrebolado y los ojos entornados—. ¡Un gesto más y lo hará sin mí!»

Internó despacio los dedos en la larga hendidura bermellón que había abierto con la lengua, mientras se colocaba entre las piernas de Madeleine. Gimió de gozo al sentir su tallo saltar contra ella en busca de la tierna entrada del Paraíso. Aunque «saltar» resulta una palabra inadecuada para describir el estado del entrañable compañero de Armand: tenía la cabeza tan hinchada y púrpura que parecía al borde de la apoplejía y temblaba como si tuviera fiebre. En cuanto rozó los pliegues de carne abiertos en la entrepierna de Madeleine se internó en las profundidades de su tibia humedad, arrastrando tras él el cuerpo de Armand, hasta que sus vientres se tocaron.

—¡Ah, ah, ah! —exclamó Madeleine arrebatada de delirio, moviendo el trasero debajo de él, golpeándole con los talones el dorso de los muslos.

Armand posó las manos en sus pechos, haciendo salir sus pezones duros para que alcanzaran mayor longitud. Esperaba permanecer indemne al torbellino de su vientre durante un ratito, lo suficiente como para conducirla al punto en que ella estuviera totalmente entregada e incapaz de controlar sus reacciones. Pero la voluptuosa sensación de su carne era más de lo que podía soportar y se movía veloz dentro de Madeleine, sabedor de que en un segundo más trasegaría su pasión en ella.

—¡Armand, Armand, *je t'adore*! —jadeó Madeleine, frenéticamente.

Pensándolo bien Armand había cumplido su objetivo: Madeleine se encontraba en el mismo vértice de la excitación orgásmica; arqueó la espalda sobre la cama y ella se corrió antes de que llevara dentro ni treinta segundos. La sincronización no podía considerarse demasiado perfecta, pensó Armand excitado, pero estaba bastante bien por tratarse la primera vez que lo hacían juntos. Notaba como el vientre de Madeleine subía y bajaba en oleadas rítmicas provocadas por su rápido bombeo y traspasaba los límites del control consciente. Un incoherente grito de triunfo brotó de él mientras en su botella de champaña la presión hacía saltar el corcho y su burbujeante pasión se vertía dentro de ella.

Después de tan gozosa celebración de los ritos del amor, los jadeantes compañeros yacieron abrazados durante largo tiempo, plácidamente satisfechos del contacto de sus cuerpos. Pero al poco, Armand cambió la cómoda postura en la que estaba encima de Madeleine y se pusieron de costado, frente a frente, cogidos de las manos, intercambiando apacibles besos. Ella había transgredido una importante barrera: ¡había concedido a otro hombre que no era su marido la libertad de gozar de su cuerpo! En este momento el arrepentimiento y la culpabilidad podían haberla sobrecogido y transformado el placer en frías y amargas cenizas.

Pero Armand había jugado con ella con tanta pericia que la había elevado por el cerro de la sensación hasta la cima de placer más alta que jamás había escalado. El orgasmo había sido prodigioso –casi devastador–; Madeleine no recordaba nada parecido con su marido. En consecuencia, no recapacitó sobre lo que había hecho, al contrario, se convenció de que el paso que había dado era exactamente el correcto. Yacía relajada, intercambiando besos y murmurando palabras cariñosas a Armand.

Coger en la mano el instrumento que tanto placer le había dado fue la cosa más natural del mundo. Tras una magnífica actuación se había relajado por completo y yacía blando y tibio en su mano, húmedo del rocío de la excitación de Madeleine y del torrente que él mismo había liberado.

–Tan pequeño e indefenso –susurró ella–, y, sin embargo, hace un instante tan fuerte y poderoso.

La experiencia de Madeleine sobre apéndices masculinos no es que fuera demasiado extensa. De hecho, el de

Armand era el tercero que había sostenido en la mano en sus veintinueve años. El que conocía mejor, claro está, era el de Pierre-Louis, pues la había complacido satisfactoriamente a lo largo de su matrimonio hasta hacía muy poco. Antes de conocer a Pierre-Louis había tenido un novio que la había privado de la virginidad a los dieciocho años y el suyo fue el primer aditamento que vio y tocó. No obstante, aunque su conocimiento se había visto necesariamente restringido por su casto modo de vida, su admiración por estos interesantes miembros no conocía límites.

Con la distancia que da el tiempo ya no recordaba casi nada sobre el equipo personal del primer novio, excepto que la había introducido de modo espectacular en el mayor de los placeres de la vida. Sentía mucho cariño por el aparato de su marido y, noche tras noche, nunca dejaba de alentarle para que lo insertara en ella. El de Armand, que la había conducido a tan fantástica cima de delirio, lo consideraba muy superior. Y ni que decir tiene que ahora reaccionó a su cariñosa caricia creciendo en la mano hasta la máxima expresión de su tamaño.

—La querida cosita gordita —murmuró ella, moviendo los dedos arriba y abajo— creo que quiere volver a hacerme algo bonito.

—Puedes estar segura —respondió Armand—. Antes de que te vayas te hará cosas muy agradables varias veces. Pero antes debo jugar contigo un poco...

Puso los dedos entre los esbeltos muslos, acariciándola con toque experto. A Armand, el húmedo bolsito de una mujer —de cualquier mujer, joven, de mediana edad, rubio, moreno, pelirrojo o azabache, vasto, prieto, bonito o vulgar— le resultaba absolutamente irresistible. Al tocarlo le entraba un deseo compulsivo de jugar con él a conciencia, de explorar hasta el límite de su capacidad de sensación, en resumen, de producirle el orgasmo. En cierto extraño modo que no acertaba a comprender, consideraba Armand que no poseía verdaderamente a una mujer, no importa las veces que la hubiera penetrado con su dardo siempre presto, hasta que no la había conducido hasta el clímax supremo con los dedos.

Ésta era la base psicológica de sus juegos lúbricos en lugares públicos con Dominique, y con tantas otras mujeres. Sin duda, al doctor Freud y a su *coterie* de profesores vieneses, que atribuyen motivos complejos y secretos a todo lo que hacemos –incluido el inextinguible deseo de hombres y mujeres de darse placer juntos–, les habría interesado entrevistar a Armand y explorar su peculiar manía. Sus amigas lo aceptaban sin pensarlo dos veces y sin extrañarse más de lo que lo harían de las manías de otros hombres en la cama.

Y la hermosa Madeleine, la de los rizos castaños en la entrepierna, suspiraba encantada mientras los dedos de Armand jugaban sobre su botón untuoso, creyendo que la preparaba para otra entrada triunfal. Se tumbó de espaldas y se abrió mucho de piernas. Pero él no la montó. Debido a las delicadas atenciones de Armand, su placer se hizo tan intenso que ladeaba la cabeza sobre la almohada, con el cabello encantadoramente despeinado y luego clavó las uñas en la cama debajo de ella.

–¡Sí... estoy preparada, Armand! –jadeó ella.

–¡Oh, sí! –coincidió él–. De veras estás preparada, *chérie*... maravillosamente preparada. Pero despacio que tengo prisa, como dicen, tómate tu tiempo para gozar de las sensaciones que experimentas.

–¡Armand... debo tenerte ahora! –exclamó con urgencia.

–Y me tendrás, querida Madeleine, me tendrás dentro de ti muchas, muchas veces –le respondió, sin hacer el menor intento por encaramarse a su vientre y satisfacer sus deseos del modo que ella esperaba.

Los dedos aleteaban entre los largos y húmedos labios ocultos por los rizos castaños.

—¡Ah, ah! —exclamó, levantando con incredulidad la vista hacia el rostro sonriente de Armand, mientras tensaba las piernas temblorosas hasta el límite y los espasmos le estremecían el vientre.

—Pero ¿qué me haces? —jadeó con los ojos abiertos mientras adivinaba sus intenciones—. ¡Ah, eres un sinvergüenza!

No prestó atención ni a sus quejas, ni gritillos, ni jadeos, ni gemidos. Los dedos siguieron acariciándola con ternura y ella rebasó las palabras y emitió ruidos gorjeantes, mientras se contoneaba y se retorcía, frenética por aliviar la poderosa estimulación.

En el primer pálpito delicioso del clímax, él exclamó:

—¡Ahora Madeleine! ¡Ahora, ahora, ahora!

Madeleine profirió un estridente alarido y tensó los músculos con tal rigidez que elevó el cuerpo de la cama —trasero, espalda y hombros— hasta que sólo se sujetaba por la cabeza y los talones. Durante cinco incesantes segundos permaneció en una rígida curvatura, gritando a los oídos de Armand, luego se desplomó débilmente y se tumbó jadeando y temblando, juntando lentamente las piernas hasta que volvió a serenarse. Sus hermosos ojos marrones se abrieron despacio y levantó la mirada hacia el rostro de Armand.

—¿Por qué me has hecho esto? —preguntó con curiosidad.

—Para entretenerte de otra manera —dijo él, poco sincero, pues lo hacía para su propia gratificación.

—Nadie me lo ha hecho así desde que me casé —dijo, alargando la mano para acariciarle la mejilla—. Me has hecho sentir otra vez como una muchacha de diecisiete años.

—¿Y te ha gustado? —preguntó, sabiendo de antemano la respuesta.

—Me has pillado desprevenida... no me percaté de lo lejos que estabas yendo hasta que fue demasiado tarde. Pero sí, me ha gustado mucho.

La ayudó a incorporarse para que se sentara a su lado, con la espalda apoyada sobre los grandes almohadones colocados ante el cabezal. Le pasó el brazo por los hombros para acercarla mientras él mantenía las piernas abiertas sobre la cama. Su aparato se erguía sobre el vientre, totalmente a la vista, duro y fuerte, para la admiración y las cariñosas atenciones de Madeleine. Pero, ahora que los deseos de Madeleine se habían sosegado, no tenía ninguna prisa y quería comentar con él ciertos asuntos. En concreto, sentía el más absoluto desprecio por el desgraciado comportamiento de su amigo Vincent Moreau.

—Su flagrante infidelidad hacia Brigitte es atroz —dijo Madeleine—. Estoy segura de que tú sabes a dónde va cuando desaparece durante medio día.

—¿Desaparece? —preguntó Armand con una sonrisa—. No lo sabía. ¿Te lo ha dicho Brigitte?

—Está desolada, la pobre. Los hombres alardeáis entre vosotros de vuestras conquistas... tú debes de saber adónde va.

—Te aseguro que no lo sé —dijo Armand encogiéndose de hombros.

—Quizá, cuando te das media vuelta, va a visitar a tu rubia y pechugona amiga —insinuó Madeleine con un rasgo de malicia en la voz—. La otra noche puso muy de manifiesto su interés ¡Le metió mano por debajo del vestido todo el rato que estuvieron bailando!

—Quizá visita a Dominique —coincidió Armand, secretamente divertido, pero guardándose mucho de no demostrarlo—. Ella tiene muchos amigos, aunque me sorprendería en extremo saber que Vincent es uno de ellos. La otra noche llevaba una copa de champaña de más, así de sencillo, y por eso se permitió demasiadas familiaridades con la mujer con la que bailaba. Tú bailaste con él, Madeleine, ¿no esperarás que me crea que no intentó acariciarte el trasero?

—Pronto puse fin a su grosería, te lo aseguro —replicó, sonrojándose un poco—, ¡pero tu rubia amiga parecía estar encantada con su modo de propasarse! Al menos, no hizo ningún intento por disuadirlo, aunque sabía que su mujer los estaba observando.

—Dudo que Dominique piense lo más mínimo en las esposas de sus amigos —dijo Armand, luchando por no traicionar la gracia que le hacía que Madeleine estuviera tan exaltada por un incidente sin importancia en la pista de baile—. Ya la mañana siguiente, cuando Vincent debió recuperar la sobriedad, seguro que no recordaba a quién pertenecía el trasero que magreó.

Casi añade «incluyéndote a ti», pero se contuvo a tiempo, percatándose de que el comentario habría resultado ofensivo.

—Esa noche sólo bailó con una mujer a la que no intentó tocarle el trasero, por no hablar de familiaridades más impertinentes —dijo Madeleine con voz acalorada—, y ésa fue su esposa. Sólo Brigitte tenía el derecho a esperar que se condujese hacia ella con afecto y se vio contrariada. Prométeme que descubrirás quién es su querida la próxima vez que lo veas. Si conversas con él de modo informal seguro que te lo dirá sin enterarse de que se está traicionando.

El fulgor de las mejillas de Madeleine se había intensificado y su voz manifestó un peculiar tono de determinación. Armand la miró con curiosidad.

–Pero, querida Madeleine, a mí no me incumbe si Vincent visita a una amiguita. ¿Por qué iba yo a querer descubrirlo? ¿Qué bien haría si descubro el nombre y la dirección de su amiguita y te lo digo a ti para que se lo comuniques a Brigitte? ¿No esperarás que ella vaya y le tire de los pelos a la otra?

En lugar de responder a su pregunta, Madeleine cerró los ojos y se reclinó contra la almohada, palideciendo repentinamente. Por fin Armand comprendió que su conversación sobre Vincent Moreau tenía hondas connotaciones que sería desagradable explorar. Era evidente que el verdadero objeto de la reprimenda de Madeleine no era sólo Vincent, sino la infidelidad conyugal en general, un tema por el que Armand no sentía ningún interés. Una o dos veces en el pasado, ciertas mujeres casadas que habían admitido sus favores íntimos habían planteado el tema con el fin de convencerle de que era increíblemente afortunado al ser querido hasta el punto de que ellas habían hecho el gesto supremo de engañar a sus maridos por él.

No es necesario decir que Armand no había creído ni una palabra de estas tiernas pero fatuas manifestaciones de afecto. Hasta el momento, las numerosas mujeres casadas que habían sucumbido a sus encantos habían tenido, por lo que él sabía, otros amantes antes que él. Se podía ecuánimemente decir que habían adquirido la costumbre regular de engañar a sus esposos para su propio placer. Los encantos que estas damas ofrecían a Armand no eran precisamente recién estrenados, por así decirlo. Como es natural, no eran peores por ello, al contrario, Armand sostenía la firme creencia de que, por debajo de los cuarenta, la mayoría de las mujeres mejoran con la experiencia del amor. Por encima de esa edad, en su opinión, se vuelven demasiado ansiosas, o a veces incluso cínicas, a medida que sus encantos se desvanecen.

Claro que llevarse a una jovencita a la cama era delicioso, pero para un arrobamiento sostenido, Armand prefería personalmente una mujer casada de unos treinta años, más o menos, que ya hubiera tenido al menos dos amantes. No es que Madeleine entrara en esta categoría, pues estaba seguro de que era su primera aventura desde que se había desposado con Pierre-Louis. Pero en la mente de Armand era tan excepcional que sus reglas ordinarias no surtían efecto. Armand debió percatarse de que sufría un ataque de remordimiento ahora que se había entregado a otro hombre.

La respuesta a las incipientes lágrimas y recriminaciones era bastante simple, según la experiencia de Armand, y se volvió hacia ella para abrazarla y besarle el rostro y los párpados cerrados.

—Qué hermosa eres, Madeleine —suspiró expresando mucha emoción entre los besos—. ¡Te adoro con locura! Me alegro tanto de tenerte por fin en mis brazos. Voy a hacer de ti la mujer más feliz del mundo ¡Te lo juro!

No es que estuviera diciendo deliberadamente falsedades, pues ningún hombre cuyo miembro esté tieso y abrace a una mujer desnuda tiene la más leve comprensión intelectual de lo que es cierto o falso; su urgente necesidad de penetrarla cancela todo concepto del bien y el mal. Las palabras de Armand en ese momento no eran más que tonterías, pero el tipo de tonterías que hace que una mujer se sienta querida y apreciada, y borra cualquier temor melancólico que pudiera albergar en el corazón. Gracias a estas palabritas y a los besines y cariñines adecuados, pronto eliminaría cualquier remordimiento o duda que pudiera haber sentido Madeleine.

Y más que eso, las palabras, los besos y caricias la habían excitado, como era su intención. Hacía tiempo que había aprendido que la sensación de un buen miembro masculino entre las piernas es el consuelo más seguro que se puede ofrecer a una mujer, y estaba seguro de que dispersaría cualquier sombría reflexión en cuanto le metiera mano en la entrepierna y ella lo agarrase. La mano de Armand se hallaba entre sus muslos de piel suave, jugando con delicadeza con el botoncillo henchido de deseo dentro de su tibio y lubricado nicho.

–¿Tan pronto, tan pronto? –murmuró él–. ¡Mi hermosa Madeleine!

Antes de que pudiera tumbarla de espaldas y abrirla de piernas con el fin de prepararla para su penetración amorosa, Madeleine se hizo con las riendas. Se libró de su abrazo, le puso las piernas planas sobre la cama y se arrodilló a horcajadas sobre sus muslos, con el portal abierto sólo a cinco dedos de distancia de su temblequeante clavija. Armand la contemplaba encantado con los ojos muy abiertos mientras ella jadeaba y la guiaba hacia ella.

–¿Tú crees que es demasiado pronto? –susurró, con una tierna sonrisa en el rostro–. Para mí ha pasado mucho rato desde que me hiciste el amor, Armand... debe haber trascurrido casi una hora. No cuento lo que me has hecho con los dedos.

Armand estaba medio sentado en la cama, con la espalda reclinada cómodamente contra la almohada y el cabezal. Tomó los elegantes senos de Madeleine en la mano, bajando la vista hasta su propio vientre para ver cómo la verga dura se internaba en Madeleine mientras empujaba hacia abajo para empalarse en ella.

–Así... toda entera –murmuró Madeleine, tocando con el vientre liso el suyo–. Ahora dime si es demasiado pronto.

–Nunca es demasiado pronto para mí –jadeó él, acariciándole los pechos con fruición–. Eres tan adorable que me gustaría estar dentro de ti todo el tiempo.

–Bien –respondió ella en voz baja–, porque eso es lo que quiero.

A decir verdad, observarse enterrado en el nido castaño de Madeleine exaltaba tanto a Armand que no se atrevía ni a moverse por temor a provocar una inmediata emisión. Madeleine le miraba el rostro y sonreía curiosamente; era consciente de lo apurado de su situación, se divertía y a la vez le conmovía.

–De veras me adoras, Armand –reconoció ella, con un destello de lo que en ese momento no podía ser más que triunfo en los ojos aterciopelados.

Arrodillándose encima de él, con los muslos muy abiertos para recibirlo más dentro de su vientre, empezó a deslizarse arriba y abajo despacio. Armand gritó de placer, notando cómo se aproximaba el éxtasis y mirándole a la cara, tan cerca de la suya. La boca pintada de rojo abierta en una sonrisa que exhibía los bonitos dientecillos blancos y el brillo de los ojos, bajo los párpados medió entornados, era beatífica. Tanto era así que sólo la expresión hizo que Armand se corriera; sacudió el cuerpo ante la fuerza de sus emociones y el movimiento casi le traiciona hasta la liberación. Estrujó fuerte los pechos y sabía que faltaban apenas unos momentos para que el torrente de deseo rompiera el frágil dique que lo mantenía controlado.

En cuanto a Madeleine, el placer que experimentaba mientras cabalgaba dulcemente el henchido miembro de Armand era más profundo que la aniquilante satisfacción de la que había disfrutado antes, cuando él se había tumbado sobre su vientre. El presente placer iba más allá de lo puramente físico –lo era, claro está–, pero también era una sensación maravillosamente primitiva y aplastante de venganza la que explicaba su orgásmico estado mental. A pesar de su agitación durante la charla sobre Vincent, Armand no había adivinado el secreto que la había traído a su cama: la dolorosa consciencia de que su marido tenía una amante.

Durante ocho años de matrimonio ella había cuidado de Pierre-Louis, lo había querido, apoyado, venerado, admirado y alentado a hacerle el amor noche tras noche. Pero parecía que por mucho que hubiera hecho por él, no era suficiente. Hacía al menos doce meses desde que Pierre-Louis no la deseaba para otra cosa que no fuera un breve orgasmo antes de dormirse. Y durante los últimos meses, desde que descubriera por casualidad su secreto, había fabulado excusas para rechazarlo.

Armand lanzó un brusco grito sin palabras mientras empujaba hacia arriba y sentía un estallido de éxtasis dentro de su vientre. Madeleine también gritó, un pequeño alarido de arrobamiento y triunfo, e inclinó la cabeza para aspirar el aliento de la boca abierta de Armand mientras su cuerpo se estremecía furiosamente en espasmos de gozo. Se trataba de la verdadera venganza de Pierre-Louis por sus infidelidades, no sólo consistía en dejar que otro hombre le hiciera el amor, sino en obtener un inmenso placer en el acto de entregarse.

Naturalmente, siendo quien era, cuando se decidió a vengarse de su marido de este modo podía haber elegido entre una veintena de hombres. Había elegido a Armand porque estaba segura de que sería muy diestro excitándola y dándola placer. El hecho de que fuera primo de Pierre-Louis de algún modo añadía acierto a su elección. Y, por gratificante que había sido tumbarse de espaldas y dejar que él le hiciera el amor, había sido diez veces mejor sentarse a horcajadas sobre él y utilizarlo para provocarse la crisis de pasión.

Armand yacía relajado contra la almohada, respirando hondo mientras regresaba a la placidez. Con la suave mejilla de Madeleine sobre la suya, las granadas de piel rosada apretadas contra el pecho y los brazos colgando lacios alrededor de la cintura, en el corazón sentía el inconmensurable placer de haber conquistado de modo tan maravilloso a una amante como Madeleine. Como es natural, al tener un buen concepto de sí mismo, estaba seguro de merecerla y mientras durase su romance, se dedicaría a ella con toda su devoción. Madeleine estaba a punto de descubrir que iba a ser amada más allá de toda lógica y razón.

Pero, ¡ay!, si Armand pudiera leerle el pensamiento en aquel momento y descubrir su secreto de amor, su exaltación habría sido barrida como las hojas secas por un fuerte viento otoñal. Los estimulantes acontecimientos de la última hora le habían enseñado a adorarla, en cuerpo y alma, pero los sentimientos de Madeleine hacia él carecían de la misma intensidad. Claro que conservaba el mismo templado afecto que siempre había sentido por él como amigo de toda la vida. Pero no le inspiraba el más profundo sentimiento. Aunque había demostrado ser un agradable y eficaz instrumento de venganza contra su marido, no le atribuía ningún mérito a él, sino a su propio acierto en la elección.

Se libró de su fláccida verga y le dio un cariñoso golpecito. Armand lo haría muy bien hasta que Pierre-Louis recobrase el sentido y volviera a ella.

3

La vista desde una ventana alta

Si una noche un amigo llega muy tarde, sin avisar, desaliñado y con el aspecto de haber bebido demasiado y dormido poco, es evidente que tiene serios problemas. Pierre-Louis tenía el aire de un hombre al límite de sus fuerzas. Se desplomó en uno de los sillones de Armand y aceptó con mano temblorosa la copa de coñac que éste le ofrecía. Vestía un traje azul marino que precisaba un planchado y una camisa que no parecía demasiado limpia. Llegó sin sombrero, sin abrigo ni guantes; prueba suficiente, si es que se requería alguna, de su turbación. Observó un momento la copa, exhaló un profundo suspiro y la vació de un trago.

–Tienes un aspecto terrible –dijo Armand–. ¿Dónde demonios has estado? ¿Qué has estado haciendo?

No es que tuviera ninguna duda sobre la respuesta. Hacía un rato esa misma tarde, a eso de las seis o un poco más tarde, Armand estaba tomándose un aperitivo en el Café de la Paix cuando entró Pierre-Louis con una muchacha del brazo. Naturalmente, la chica le intrigó y levantó el brazo para llamar la atención de su primo. Pero cuando Pierre-Louis lo vio, palideció y sacudió ligeramente la cabeza, un gesto que indicaba con mucha claridad que no deseaba ser reconocido. Armand se encogió de hombros y se dedicó a observar de cerca a esa joven que su primo intentaba mantener en secreto. Sólo podía haber una razón para ello: se trataba de su amante y le avergonzaba admitirlo.

Pierre-Louis llevó a la muchacha a la mesa más lejana que pudo encontrar, pero Armand pidió otra bebida y observó a la pareja con curiosidad. Parecían discutir, al menos la conversación que no oía era muy animada, con mucha gesticulación y muecas que bien podríamos calificar de vehementes. Varias veces Pierre-Louis dio un puñetazo en la mesa para subrayar lo que estuviera diciendo. La chica se encogía de hombros con frecuencia y, en el fragor de la conversación, hizo un gesto indecoroso con la mano que todo el mundo comprende a la perfección. Era evidente que no le intimidaba nada de lo que Pierre-Louis pudiera decir o hacer.

Armand pensó que era una joven a la que muchos hombres encontrarían muy atractiva. Tendría unos dieciocho años más o menos, y el cabello castaño claro, casi rubio. Se había quitado la atrevida boina al sentarse y Armand pudo comprobar que llevaba el cabello peinado hacia atrás, sobre un rostro de mejillas llenas. Pero la característica más sorprendente era su aire de bienestar. Sin llegar a describirla como obesa, era de carnes enjundiosas y su tez clara rebosaba salud. Dada la naturaleza de Armand, éste entornó los ojos mientras la miraba y la desnudó con la imaginación.

¿Qué era lo que probablemente encontraría bajo aquel ceñido vestido de color miel?, se preguntó encantado. En su experiencia, muchas damitas de su edad preferían envolver sus cuerpos en vaporosos corpiños, a menudo de brillantes y vivos colores. Armand consideraba esa clase de ropa interior deliciosamente apta para su tentador juego en lugares públicos: las prendas con aberturas en las piernas eran una invitación segura a que la mano de un hombre penetrara en los recovecos sedosos y acariciara el delicioso secreto que ocultaban.

Y cuando, con dedos ávidos pero expertos, desabrochaba el par de botoncillos de nácar que cerraban, en simulado pudor, la exigua tira de seda transparente que pasaba entre los muslos de la portadora... ¡ah, entonces! De cintura para abajo ya estaba desnuda para él. Primero la mano y luego los ojos saborearían el tapizado gozo que le ofrecía la entrepierna de Mademoiselle. Y al cabo de un momento, se desembarazaría por completo del corpiño y le permitiría verlo y saborearlo todo. Armand veía mentalmente los turgentes senos y el vientre curvado de la amiga de Pierre-Louis, los macizos muslos y las nalgas tiernas y ovales.

Por su cara podía afirmar que todo el cuerpo exhalaba la salud y la vitalidad de la juventud. Era un apetitoso bocado para ser degustado delicadamente con la lengua y luego devorado por completo: una tierna y suculenta fruta de maduro dulzor. De hecho, tan encantadora fue la visión que Armand conjuró en su fantasía, que su siempre inquieto compañero se despertó y empezó a empinarse dentro de los pantalones. La muchacha fue consciente de la intensidad de su mirada y se volvió en la silla para ver quien la estaba mirando. Durante un momento sus miradas se cruzaron, luego ella regresó a la animada discusión con Pierre-Louis.

No cabía duda de que ella le preguntaba si conocía al hombre que la estaba mirando, pues Armand la vio hacer un gesto en dirección a él. Y con toda seguridad, Pierre-Louis negó conocerle, pues sacudió firmemente la cabeza. Poco después los dos se levantaron y salieron del café. De camino hacia la puerta pasaron cerca de la mesa de Armand y él observó que el abrigo que su primo le había ayudado a poner era un abrigo costoso de vicuña con amplias bocamangas de piel. Las muchachas de dieciocho años no suelen tener abrigos de esa calidad, a menos que tengan amigos tan ricos como Pierre-Louis.

Armand levantó la vista del abrigo y aprovechó la oportunidad para estudiar su liso rostro, aunque sin buscar ningún indicio de su personalidad, pues no esperaba encontrar ningún rasgo fuerte de carácter en una chica tan joven. Su principal interés era corroborar el color de sus ojos. Pierre-Louis mantenía la vista en la lejanía con embarazo innecesario, simulando que Armand no estaba allí. En consecuencia no pudo ver cómo la muchacha le devolvía una sonrisita a Armand.

Aunque las dos sonrisas no fueron más que leves movimientos de labios, expresaban más que lo que habría supuesto una hora de conversación. La sonrisa de Armand dijo a la muchacha: «Aunque el hombre con el que está me conoce bien, no desea presentarnos; sin embargo, la encuentro muy hermosa, Mademoiselle, y me encantaría besarle la mano y contarle al oído los deseos de quitarle la ropa que alberga mi corazón, y besarle otras y más deliciosas partes de su cuerpo».

Y la sonrisa que ella le devolvió decía: «No sé por qué no quiere que nos conozcamos, Monsieur, sin embargo comprendo cuales son sus intenciones hacia mí y, si estuviéramos a solas, me encantaría quedarme a oírlas».

En contraste con los tejemanejes de Pierre-Louis, ésta era una de las raras noches que Armand pasaba a solas. Salió del Café de la Paix al cabo de media hora para disfrutar de una cena excelente y una botella de vino en uno de sus restaurantes favoritos, seguido de un agradable paseo por el Boulevard des Italiens, observando a la gente, en especial a las mujeres jóvenes. Le había atraído tanto la compañera de Pierre-Louis que no podía quitársela de la cabeza y su estado de continua excitación lo hacía vulnerable. Durante el paseo se le aproximaron varias mujeres para proponerle amistosamente que las acompañara y disfrutara de sus encantos por un módico precio.

Armand conocía los mejores establecimientos que proporcionaban chicas a sus clientes, en particular el bien considerado Chabanais justo al final de la Rue Colbert, pero sólo una vez había hecho uso de una muchacha de la calle. Fue cuando él y Vincent Moreau, escolares de quince años, se habían incitado mutuamente a la gran aventura de poseer por primera vez a una mujer. Juntos se habían acercado a una guapita pelirroja una tarde en los exteriores de la Gare de Lyon y la habían acompañado a un cuarto de hotel mal ventilado, donde cada uno por turno observaba cómo el otro perpetraba el rito de iniciación a la madurez.

A pesar de eso, si alguna de aquellas mujeres que se le acercaron en el bulevar se hubiera parecido a la amiguita de Pierre-Louis, Armand no hubiera podido resistir a la tentación de irse con ella por unos pocos francos. Pero ni que decir tiene que ninguna le ofrecía una imitación satisfactoria de la suave suculencia de la joven del abrigo de vicuña. Había muchachas altas y bajas, de pelo oscuro, pelirrojo, rubio teñido, muchachas de quince, de veinticinco, de treinta y cinco, y una añosa pechugona que Armand habría jurado que se trataba de una abuela de cincuenta y cinco.

Con una educada negación de la cabeza y una o dos palabras corteses, declinó sus ofertas y paseó solo. El otoño se acercaba al invierno y el aire de la noche era tan húmedo que imprimía halos dorados a las farolas de la calle. Quizá fuera la luz de las farolas que afectaba al estado romántico de Armand la que hizo que durante unos instantes una de las tentadoras muchachas de la calle se pareciera a la amiga de Pierre-Louis. No llevaba sombrero y tenía el pelo castaño claro, aunque más oscuro y más basto que el de la muchacha a la que había visto discutir con su primo en el Café de la Paix; el de ella era de un castaño claro que viraba al rubio y tan fino como la seda.

Cuando la buscona vio que Armand dudaba y le daba un segundo vistazo, le sonrió con una sonrisa profesional y retrocedió hacia un portal. Momentáneamente intrigado, se detuvo y se volvió para mirarla, preguntándose si era su costumbre zanjar los negocios incómodamente en los portales y si era así, qué tipo de clientes conseguía atraer. Vestía una gabardina azul oscura, con todos los botones desabrochados pero muy ceñida por un cinturón. Mientras se quedó de pie mirándole, se desabrochó el cinturón y le sonrió, levantándose el gran jersey verde, para ofrecerle un breve adelanto de los encantos que ofrecía.

Pero, ¡qué pena!, una inspección más minuciosa le enseñó que, aunque no tendría más de veinte años, su rostro era gordo en lugar de poseer aquella enjundia infantil y tenía la piel de las mejillas y el mentón llena de manchas. Se había levantado el jersey hasta el grueso y corto cuello para mostrarle que debajo de él estaba desnuda, pero el par de tetas que exhibía como cebo colgaban como bolsos de mano gastados y los distendidos pezones apuntaban uno a cada lado, como si no se llevaran bien. Pensando que ya lo tenía en el bote, la muchacha le dijo su tarifa y le aseguró que tenía una habitación justo a la vuelta de la esquina. Armand sonrió cortésmente y, sintiendo una inexplicable lástima por ella, le dio el precio de una copa y siguió caminando.

Hacia las diez y media había regresado a su casa y se preparaba para irse a la cama. Estaba en batín y pijama leyendo una revista cuando llegó Pierre-Louis salido de la nada.

–He estado paseando durante horas –le dijo Pierre-Louis con voz apenada–. No sé qué hacer.

—¿Esperas que me crea eso? —exclamó Armand—. Has pasado la tarde con esa maravillosa muchacha que vi contigo en el Café de la Paix ¿y no sabes qué hacer? ¡De veras, debes tomarme por un completo idiota!

—No, no me refiero a eso —explicó Pierre-Louis en tono de disculpa—, pero desde que Madeleine me dejó hace un mes he estado profundamente afligido... ¡Creo que estoy perdiendo la razón!

—Entonces debes pedirle perdón y que regrese contigo.

—¿Crees que no lo he intentado? Ni siquiera quiere hablar conmigo —dijo Pierre-Louis ocultando el rostro demacrado entre las manos—. He estado en casa de su hermana una docena de veces para intentar convencerla de que vuelva conmigo. La primera vez llegué a ver a Yvonne, que me dijo con mucha rudeza que Madeleine no quería verme. Desde entonces cada vez me han despedido desde la puerta los criados.

—Madeleine te dejó porque descubrió que tenías una amiga —indicó Armand con cierta falta de compasión por el sufrimiento de su primo—. Creí que se equivocaba, pero esta noche me has demostrado que estaba en lo cierto. La muchacha con la que estabas es muy atractiva, pero si amas a Madeleine tanto que no puedes vivir sin ella, entonces tendrás que olvidar a tu amiguita. ¿Es eso tan difícil?

—Sí, imposible —gimió Pierre-Louis.

Sin embargo se recuperó un poco y le mostró la copa vacía indicando que quería más coñac.

—No puedo creer que disfrutes haciéndole el amor —dijo Armand, llenando ambas copas—, después de todo sólo es una jovencita. Madeleine es una mujer hermosa, encantadora e inteligente, la clase de esposa que todo hombre se enorgullecería de tener. Y si me permites hablarte con absoluta franqueza, aunque como es natural nunca he tenido el honor de hacer el amor a ninguna de las dos damas, no puedo creer que tu amiga sea tan excitante como tu esposa.

Claro que se trataba de una mentira descarada. Desde hacía seis semanas Armand había estado haciendo el amor a Madeleine con mucha frecuencia; durante dos semanas antes de que decidiera dar una lección a su esposo mudándose a casa de su familia, y hacía un mes de eso. Al menos cincuenta veces la había desnudado, besado, acariciado y bregado entre sus piernas hasta saciar su apetito, y el de ella. Por tanto, sabía por su propia y placentera experiencia que Madeleine era una de las mujeres más excitantes con las que había hecho el amor. Resultaba extraordinariamente difícil de creer que la amiga de Pierre-Louis pudiera equipararse a Madeleine en la cama, y mucho menos superarla.

Sus comentarios desataron como respuesta en Pierre-Louis un largo monólogo de lacrimógena autojustificación. Por mucho que amase, adorase y respetase a Madeleine, etcétera, etcétera, estaba obsesionado hasta la imbecilidad con Suzette y era incapaz de olvidarla. Dada su juventud, era cruel y ambiciosa y, aunque pretendía estar enamorada de él, Pierre-Louis sabía que sólo lo quería por lo que podía sacarle. Estaba convencido de que tenía otro amante, un joven de su propia edad y, en cuanto Pierre-Louis la dejaba, Suzette se metía en la cama con el joven y entre escarceos amorosos se reían de Pierre-Louis por ser tan estúpido.

–¿Tienes pruebas? –preguntó Armand–. ¿O simplemente tu conciencia culpable te castiga con celosos inventos?

La respuesta a esta pregunta fue confusa e insatisfactoria, pero mientras Pierre-Louis divagaba, Armand supo que después de la riña en el café, había ido con Suzette a su casa y habían intentado reconciliar diferencias haciendo el amor.

–Siempre está dispuesta a eso, no importa cuál sea su humor –declaró Pierre-Louis con amargura.

Pero el relato de la velada le hizo comprender que, a pesar de que había sido soberbiamente excitante yacer entre los muslos de Suzette y arremeter en su cálida raja, era insuficiente como solución a los arraigados problemas de inseguridad mutua.

En resumen, la convulsiva liberación de la tensión física no zanjó la disputa, simplemente hizo que la olvidaran durante unos momentos. Cuando deshicieron su conexión íntima y se tumbaron juntos, desnudos, la disputa que había tenido su origen en los tortuosos celos sexuales de Pierre-Louis volvió a prender. El placer que se habían dado mutuamente no ablandó la hostilidad, la pelea fue peor. Suzette se libró de los brazos de Pierre-Louis y se arrodilló en la cama, los carnosos pechos se le balanceaban mientras gesticulaba furiosamente con los brazos para dar énfasis a sus sarcásticas palabras.

En cuestión de segundos empezaron a insultarse a voz en grito y ella le propinó una inocua bofetada a Pierre-Louis. En eso, él perdió los estribos y, para silenciar sus palabras insultantes, empezó a golpearla. La maltrató con las manos abiertas y Suzette gritó e intentó protegerse con los brazos, pero, tras golpearla en los orondos pechos desnudos unas pocas veces, su desesperada ira se transformó en una pasión distinta, pero una pasión que se manifestaba con la misma violencia.

Sin saber lo que hacía, tumbó a Suzette y la abrió de piernas con sus rodillas, para exponer la tierna y delicada fuerza del poder que ejercía sobre él. Y no contento con este bárbaro intento de avergonzar a una joven y hermosa mujer, le soltó iracundos insultos diciéndole que se dejaría poseer por cualquiera por el precio de una cena y que no era mejor que una ramera. Y en el paroxismo de la rabia, para mostrar cuánto la despreciaba, le escupió en el oscilante vientre.

—¡Pero esto es penoso! —exclamó Armand consternado—. ¡Debes estar loco! ¿Me estás diciendo que la violaste... o que la asesinaste?

Aunque Pierre-Louis negó semejante fechoría, era obvio, por lo que se deducía de su caótico relato, que la horrible afrenta de escupirle le había sacado de sus casillas. Su recuerdo de lo sucedido era borroso, pero creía que se había arrojado sobre Suzette y la había aferrado a la cama, gritando y debatiéndose.

—¿Y luego? —preguntó Armand cuando su primo dudó.

Avergonzado, Pierre-Louis confesó que había barrenado a Suzette con tanta furia que casi podía hablarse de violación.

No es que Mademoiselle Suzette fuera del tipo de joven a la que aterrorizaba hasta la sumisión un voraz intruso masculino entre los muslos. En cuanto los músculos de Pierre-Louis se relajaron después de descargar su apasionada ira, ella se zafó de él como un gato salvaje. Utilizó las uñas, los codos y las rodillas, a tal efecto que lo lanzó de la cama de espaldas, hasta un rincón del guardarropa, donde se acurrucó desnudo con las manos cruzadas sobre sus tiernas partes para protegerse de las furiosas patadas.

La colérica muchacha habría infligido serios, y tal vez permanentes, daños a Pierre-Louis, si él no hubiera tenido el buen tino de cogerla por el tobillo mientras éste le magullaba violentamente el muslo. Con un rápido quiebro le levantó la pierna a la altura del hombro. Suzette saltó un par de veces sobre la otra pierna, cuando él se la levantó aún más, perdió el equilibrio y cayó de espaldas al suelo. La caída la dejó sin respiración y se quedó jadeando inaudibles amenazas, con las piernas pataleando en el aire y el encanto ensortijado expuesto del modo más humillante. Pierre-Louis se alejó de ella, cogió su ropa y huyó como alma que lleva el diablo.

–Entonces, el *affaire* ha acabado –dijo Armand–. Es imposible que la vuelvas a ver después de tan salvaje despedida. Deberías dar gracias al cielo de haber escapado tan alegremente, amigo mío. Si las cosas hubieran llegado más lejos podías haberte enfrentado a la suerte del asesino en la guillotina.

–Supongo que tienes razón –coincidió Pierre-Louis con un suspiro–, pero aún estoy desesperadamente enamorado de ella. Llevaba al menos cinco minutos a la puerta de tu casa antes de tocar el timbre, sin saber si entrar y hablar contigo o regresar y humillarme ante Suzette con la esperanza de que me acogiera y me dejara pasar la noche con ella.

–Lo superarás si te mantienes alejado de ella –dijo Armand encogiéndose de hombros–. En dos semanas te preguntarás qué habías visto en ella. Al fin y al cabo, sólo es una chica guapa a la que te has beneficiado durante un par de meses. París está lleno de muchachitas como ella. Lo más importante es saber cuáles son ahora tus intenciones hacia Madeleine.

Pierre-Louis se perdió por los meandros de una prolija e indirecta respuesta a una pregunta sencilla. Claro que esperaba que su esposa regresara con él, pero la idea de pedirle perdón le parecía absurda. Todo el mundo sabía que los hombres casados tienen aventurillas con otras mujeres de vez en cuando, le dijo a Armand. Todo el mundo las daba por sentado, pues así es como funcionaba el mundo. Era un hecho bien reconocido el que los hombres eran polígamos y si la sociedad sólo les permitía una esposa, entonces automáticamente buscaban la variedad en otras partes. Pensar de otro modo o exigir que un hombre permaneciera fiel a la misma mujer durante cuarenta o cincuenta años, era negar la naturaleza.

–Has estado casado ocho años, no medio siglo –dijo Armand–. En cualquier caso, no pierdas el tiempo conmigo... es a Madeleine a quien tienes que convencer.

Pierre-Louis dijo que sabía que Armand había sacado a Madeleine a cenar unas cuantas veces desde que se mudó a casa de su hermana y le estaba muy agradecido por sus cuidados. Armand era un verdadero amigo y nunca olvidaría su amabilidad. Habría sido demasiado desolador pensar en Madeleine sentada sola y enjugándose las lágrimas cada noche. Y mientras Pierre-Louis mantenía que creía a su esposa por encima de toda sospecha e incapaz del más mínimo acto de deslealtad, no tenía más remedio que admitir en confianza que le habría inquietado que Madeleine hubiera salido a bailar con otros hombres.

Mencionó a Vincent Moreau como ejemplo de lo que quería decir: ambos conocían a Vincent desde hacía mucho tiempo como para saber que carecía de escrúpulos y que se aprovecharía de la soledad de cualquier mujer para desnudarla. Mucho mejor había sido que Armand estuviera allí para aliviar el aburrimiento de Madeleine llevándola de vez en cuando a restaurantes de buen tono y ayudándola a mantener la moral alta hasta que se resolviera la situación y regresara a su hogar. Armand creyó prudente no decir nada, el alcance del consuelo que había brindado a Madeleine era un secreto absolutamente vedado a los oídos de su esposo.

Resultó que Pierre-Louis había mencionado las pocas cenas de las que tenía noticia porque creía que Armand, como amigo de ambas partes, era la persona ideal para mediar entre ellos y ayudar a reconciliar sus diferencias. A Armand le pareció una idea estúpida y así lo dijo. Pero

Pierre-Louis argumentó su caso con tanto tesón y persistencia que Armand se encontró –aunque reticente y de mala gana– marcando el número de Yvonne Hiver para intentar hablar con Madeleine en nombre de su esposo.

–¡A estas horas de la noche! –fue la atónita reacción de Yvonne cuando Armand le explicó.

–Querida Yvonne, ya sé que es tarde –dijo Armand–, pero Pierre-Louis lleva aquí más de una hora muerto de angustia y no he podido negarme.

–Estás tan loco como él –dijo Yvonne–. Ven si quieres, pero no traigas a Pierre-Louis contigo. Le diré a Madeleine que te espere... no creo que se haya acostado todavía.

Era casi medianoche cuando Armand llegó a la impresionante casa de los Hiver en la Rue Saint-Didier y, para su sorpresa, la propia Yvonne le abrió la puerta. Lucía, para asombrar a sus admiradores masculinos, un vestido plateado sin mangas, cortado como una túnica, con un cinturón atado bajo sobre las caderas. Aunque el vestido era holgado, no ocultaba nada. Los pechos de Yvonne se perfilaban con claridad y cuando se movía, se bamboleaban bajo el fino tejido. El cinturón se hundía delante, donde estaba atado, y el nudo atraía inequívocamente la atención precisamente allí donde se unían los muslos de Yvonne.

–Bueno, entonces vienes solo –le dijo mientras Armand le besaba la mano–. Me niego a dejar que ese idiota de Pierre-Louis venga aquí a molestar a Madeleine.

–No os lo impondría a ninguna de las dos en su presente estado –dijo Armand.

–Pasa al salón y le diré que estás aquí –dijo Yvonne, recomponiéndose con indiferencia el cinturón sobre las ingles de un modo que cautivaba la imaginación–. Sé que no es asunto mío, pero no sé por qué te dejas convencer para venir aquí a estas horas de la noche por ese lunático marido que tiene. Si Madeleine está dispuesta a escucharte, podéis hablar toda la noche si queréis. Los criados ya se han retirado y en cinco minutos me llamará un amigo para llevarme a bailar. Buenas noches, Armand.

Yvonne era mayor que Madeleine y, aunque guardaban un fuerte parecido familiar de rostro y figura, también existían sorprendentes diferencias. En lugar de la delicada aura de oculta sensualidad de Madeleine, Yvonne radiaba una franca invitación sexual, como si se tratase de una flor de radiantes colores en un parque atrayendo a las abejas. No mencionó a su marido, Jean-Roger, en sus planes nocturnos y habría sido una indiscreción preguntarle por él.

Como todo el mundo que conocía a los Hiver, Armand era muy consciente de que Jean-Roger e Yvonne tenían intereses separados ahora que ella había cumplido satisfactoriamente sus obligaciones maritales dándole dos hijos. Vivían nominalmente juntos en la agradable casa de la Rue Saint-Didier, pero Jean-Roger pasaba muchas noches fuera, y él y su esposa sólo coincidían en las ocasiones formales, cuando se requería la compañía de ambos.

El salón al que Yvonne había llevado a Armand era grande y había sido diseñado para convencer al visitante de que se encontraba en presencia del buen gusto, la sofisticación y un buen montón de dinero. Un ventanal que daba a la calle ocupaba toda una pared, y cubriendo la de en frente casi de lado a lado, un vasto espejo rectangular con un gracioso dibujo de lirios grabado reflejaba la luz para hacer el salón aún más espacioso. Las otras paredes eran de color rosa pálido, las cortinas y la alfombra eran del mismo ocre rojizo, oscuro y polvoriento que los tejados de los viejos palacios de la Toscana. Una gran alfombra cuadrada de piel blanca se extendía en el centro del suelo.

Ni que decir tiene que el mobiliario había sido fabricado especialmente para la sala de un estilo modernista y *chic*. La sala estaba tapizada de satén blanco. La llenaban unos sillones bajos sin brazos, grandes sofás que podían albergar cómodamente a tres o cuatro personas cada uno y una *chaise-longue* en forma de cuello de cisne. A cada lado de la alfombra cuadrada, una frente a otra, se encontraban un par de raras mesas oblongas, hechas de una brillante madera de ébano para contrastar con la piel blanca. Armand encontró la sala encantadora, pero le pareció que estaba tan bien ordenada que casi era intimidatoria, sólo un admirador audaz hasta la temeridad habría osado besar obsequioso a Yvonne en uno de los sofás satinados y meterle la mano en las bragas.

Cuando Madeleine entró en el salón se puso en pie y le besó la mano con ardor. Ella fingió que ya se había retirado a dormir antes de que Armand telefoneara, pero era evidente que había pasado un buen rato cepillándose el lustroso pelo castaño, maquillándose y eligiendo un vestuario que la hiciera excepcionalmente tentadora. Vestía una hermosa negligé de gasa de color azul nomeolvides y crema pálido que se adaptaba a su esbelta figura del modo más encantador. Se ataba sobre la cadera izquierda con un gran lazo y le llegaba hasta los pies, de modo que cuando Madeleine le guió hasta uno de los sofás blancos y se sentó con él, sólo asomaban las puntas de las satinadas zapatillas azules.

El corazón de Armand latía furiosamente, pues estaba seguro de que debajo de la suave negligé vestía un camisón de gasa tan tenue que se transparentaban los pezones. Y, si le convencía para que le permitiera quitarle la negligé, podría ver cómo el camisón le modelaba los largos muslos. Suspiró para sí encantado, mientras en los pantalones su desvergonzado colgante se interesaba, se agitaba y se endurecía. En ese momento Armand abandonó las buenas intenciones que pudiera tener con respecto a Pierre-Louis y empezó a ingeniar modos de sacar provecho a la cita.

Madeleine se sentó con la espalda muy tiesa, las manos plegadas en el regazo y le miró con serenidad.

—Esta situación me parece extraordinaria —empezó—. No te haces ningún bien a mis ojos actuando como mensajero de Pierre-Louis en mitad de la noche. Supongo que sufre un ataque de ebrio remordimiento... ¿qué le ha hecho enviarte hasta mí?

—Has resumido la situación con gran claridad —respondió, cogiéndole la mano—. Le aflige el remordimiento, el arrepentimiento, la autocompasión y la confusión. Quiere que vuelvas con él.

—¿De veras? Supongo que te ha asegurado con toda solemnidad y por lo más sagrado que su historia con la puta ha acabado y nunca volverá a verla.

—No —dijo Armand, sin faltar a la verdad.

—¿No? —exclamó Madeleine—. Entonces ¿por qué estás aquí?

—Aunque Pierre-Louis sea mi primo y mi amigo, lo cierto es que te adoro hasta la locura, Madeleine, y voy a serte franco —respondió con toda sinceridad—. Por lo que me ha parecido entender de sus incoherencias, resulta que se ha peleado con su amiga y se siente desconsolado. Le parece la ocasión ideal para convencerte de que vuelvas con él.

—Y si acepto, nunca más volverá a verla... ¿es eso lo que se supone que he de creer?

—Permíteme que sea absolutamente franco, aún a riesgo de causarte aflicción —dijo Armand, besándole gentilmente la palma de la mano—. En mi opinión está «colado». Si la damita le telefoneara mañana y le invitara a visitarla, acudiría en el acto.

–¡Pero esto es ridículo! –dijo Madeleine, con las mejillas arreboladas de ira–. ¿Espera que regrese con él mientras está atontado por esa jovencita?

–Si he comprendido bien su estado mental, se aferra a la esperanza de que si vuelves con él podrá resistir a la tentación de ver de nuevo a su amiguita.

–Ya veo... me quiere en su cama sólo para agotarse y poder permanecer lejos de su puta... ¡esto es vergonzoso!

–Sin duda lo es –coincidió Armand–, pero Pierre-Louis va en serio. Quiere que regreses con él esta noche. Está sentado afuera en un taxi.

–¡Está esperando afuera en un taxi! –exclamó Madeleine exasperada–. ¿Se ha vuelto loco?

Saltó del sofá y se acercó rápidamente a la ventana, donde las cortinas de seda de moaré estaban echadas para barrar el paso al frío otoñal y a la oscuridad. Se detuvo con una mano levantada y, antes de correr la cortina, se volvió para hablar con Armand, con una nota de premeditación en la voz.

–Me niego a darle la satisfacción de verme por la ventana. Apaga la luz.

Armand se dirigió al interruptor cercano a la puerta y apagó la luz. Madeleine corrió un poco una de las cortinas, no por la mitad donde se juntaba con la otra cortina, sino por un lado, junto al marco de la ventana y la pared. Abrió sólo una angosta rendija, lo suficiente para mirar a través.

–¡Es cierto! –dijo, con sorpresa en la voz–. Hay un taxi esperando afuera, junto a la farola. Pero ¿por qué está en el otro lado de la calle?

–Entramos a la calle desde el otro extremo y Pierre-Louis le dijo al taxista que aparcase en el lado contrario. Supongo que quería poder mirar las ventanas de la casa con la esperanza de verte.

—¡Jamás! —dijo con firmeza—. ¡Ah si tuviera algo pesado para arrojárselo!

Mientras Madeleine pegaba el rostro al cristal, Armand cruzó en silencio el salón y se puso detrás de ella, descansando levemente las manos sobre las caderas de Madeleine, atisbando por la ventana por encima del hombro de ella.

—Esperaba que la curiosidad te incitara a hacer exactamente lo que has hecho.

—¿Te refieres a mirarle por la ventana? ¿Es eso lo que te dijo el repugnante gusano? ¡Si tuviera una pistola le dispararía desde aquí!

—Tiene la esperanza de que esta muestra de silenciosa devoción haga que te compadezcas de él —dijo Armand—. Su más ardiente deseo es que corras escalera abajo y entres con él en el taxi y os vayáis a casa. Pretende representar una escena de reconciliación, que llegue a su tierno final en la cama.

—¡El animal! ¡Nunca le permitiré que vuelva a tocarme! —dijo Madeleine enérgicamente.

Detrás de ella, Armand la rodeaba por la cintura con cuidadosa confianza y, al mismo tiempo, se acercaba un poco más, hasta que le rozó el trasero con la cintura.

—Ten cuidado o él te verá —dijo Madeleine con una trepidación que no concordaba con la feroz condena de Pierre-Louis de hacía un momento.

—No puede ver nada —le aseguró Armand—. Me tapa la cortina. Todo lo que puede ver es tu rostro contemplando el exterior.

Los dedos de Armand exploraban por encima de la cintura el flojo nudo del cinturón que sujetaba la negligé. Lo deshizo con facilidad, como sucede siempre con las prendas bien diseñadas en el momento adecuado, y la delicada creación de gasa se abrió. Armand suspiró delicadamente y empleó ambas manos para acariciarle el vientre liso a través del tenue camisón.

—¡No, no hagas eso! —exclamó Madeleine—. Supón que entra alguien en la habitación y nos ve así.

—Yvonne ha salido a bailar —le recordó—, y los criados están en la cama. Seguro que para Yvonne no es ninguna novedad que tú y yo seamos amantes.

En la oscuridad todo está permitido, dice el viejo proverbio. Armand se desabrochó los pantalones y dejó que el miembro tieso saltara, palpitante de gozo por su súbita libertad. Lo dirigió hacia la hendidura que se abría entre las nalgas de Madeleine y lo apretó contra ella, sólo una liviana capa de gasa le separaba la carne ardiente de la fría piel de ella.

—¡Oh, Armand! —jadeó Madeleine—. ¿Y si entra alguno de los niños de Yvonne y nos encuentra así?

Las sensaciones que el contacto con su culo a través del fino tejido despertaba en su rampante miembro eran tan arrebatadoras que Armand lo deslizó arriba y abajo, despacio, al borde del éxtasis. Posó las manos en el descotado camisón para cogerle los pechos desnudos. No tardaría en lanzar su emisión y empaparle el trasero a través de la encantadora prenda... ¡y qué exquisitas sensaciones le produciría!

—Los niños de Yvonne tienen el sueño fácil —dijo él—. ¿Te imaginas que la niñera iba a dejarles merodear por la casa en mitad de la noche? Nadie nos interrumpirá, Madeleine.

Ella restregaba el culo contra él, ayudando al palpitante pistón a deslizarse entre las nalgas.

—Está tan caliente —susurró ella.

—Arde de amor por ti... debo poseerte, Madeleine.

Se agachó para coger el delgado camisón y levantarlo hasta que pudo meter las manos por el bajo de encaje.

Madeleine respiró hondo mientras él movía los dedos por la suave juntura de sus muslos.

—¡Armand, no...! —susurró, pero él se apretó contra el terso y redondo trasero para hacerle notar cómo se había distendido la verga pulsante.

—Separa un poco los pies —murmuró, con la boca en su oído y el perfume de su cabello en los orificios de la nariz.

—¡Pero esto es una locura!

Pese a todo, separó los pies lo bastante como para que le acariciara el tesoro que guardaba entre los esbeltos muslos.

—¡Él nos está mirando! —exclamó Madeleine—. ¡Mira, ha bajado la ventanilla del taxi!

Estaba en lo cierto. Una mancha pálida, que sólo podía ser el rostro de Pierre-Louis se divisaba en el espacio que había ocupado el cristal de la ventanilla del taxi hacía unos momentos. Pero sólo era una sombra indistinta, no había posibilidad de distinguir su expresión. Armand besó la nuca de Madeleine mientras le apretaba la punta del dedo corazón entre los muslos y lo internaba entre ellos.

—No puede ver nada —le aseguró.

—¡Qué pena! —replicó ella—. ¡Le vendría muy bien!

Su nerviosismo era evidente. Quizá se debiera al amargo placer que le producía pensar en la reacción de su marido al enterarse de lo que le permitía hacer a Armand junto a la ventana. O quizá fuera el resultado de las sensaciones que la caricia de los dedos de Armand le despertaban en el vientre.

—¿Qué estoy diciendo? —se censuró a sí misma—. Por supuesto que no debe saber nada sobre nosotros... le daría una excusa para correr detrás de su furcia. Yo no tendría justificación. ¡Debes cesar de inmediato!

Armand respiraba cálidamente en su oído, divertido por su indecisión y el modo en que oscilaban sus emociones, adelante y atrás, como un péndulo. «Sí», estaba excitada y deseaba que él continuara con lo que le estaba haciendo, y «No», era reacia a dejarle proseguir porque su marido estaba sentado allí afuera en el taxi.

A pesar de sus infundadas preocupaciones por ser vistos, y a pesar de sus tibias protestas, el recóndito botón se estaba hinchando y humedeciendo bajo el dedo de Armand. Madeleine se llevó las manos a la espalda, entre el vientre de Armand y su trasero, para sentir la reciura de la verga saltando fuera de los pantalones desabrochados y él la oyó proferir un leve suspiro.

–Pero este comportamiento es inexcusable por tu parte –dijo ella con ternura–. Pierre-Louis confía en que tú defiendas su caso... ¿es así cómo lo haces? ¿Eres tú su representante? ¿He de entender que es mi marido quien me hace el amor a través de ti?

–De ningún modo –objetó Armand–. Soy yo quien te hace el amor, querida Madeleine... y lo que sostienes en la mano es mío y de nadie más.

–Entonces admite que estás aquí para traicionar la confianza que Pierre-Louis ha depositado en vuestra amistad. ¡Por no mencionar que él es tu primo! ¿No te da vergüenza?

–En absoluto, *chérie* –respondió él en voz baja, mientras sus dedos aleteaban dentro de la húmeda entrada.

–Y si él descubre que le has engañado obligándome a someterme a ti, ¿cómo te excusarás?

–¿Te estoy forzando, Madeleine? –murmuró, con los labios contra su oído–. Te encanta este tipo de coacción tanto como a mí. Si de mí dependiera, te obligaría a someterte cada mañana, cada tarde y cada noche.

Si era necesario, Armand estaba dispuesto a jugar con

Madeleine hasta que ella se tambalease al borde del éxtasis, para persuadirla de que se dejara poseer. Pero, como era de esperar de dos personas que han hecho el amor muchas veces antes, no fue necesario.

—Entonces, adelante —murmuró ella—, podemos tumbarnos en el sofá.

—No necesitamos sofá. Quedémonos aquí donde estamos... junto a la ventana.

—¡Pero... no podemos hacer eso! —jadeó Madeleine, con la voz entrecortada por lo que implicaban sus palabras—. ¡Aquí no, Pierre-Louis nos está mirando!

—Acabas de decir hace sólo un momento que no te importaba que nos viera —le recordó Armand.

—¡Pero eso era distinto! Sólo me estabas acariciando, no estábamos haciendo nada serio —respondió ella, con esa falta de lógica, a veces encantadora y a veces desquiciante, que distingue a las mujeres hermosas.

Armand se rió divertido.

—Pierre-Louis no nos ve. Eres tú la que le ve a él. No es lo mismo.

Antes de que prosiguiera con sus protestas, que él sabía ridículas y no tomaba en serio, Armand le quitó la negligé de amplias mangas por los hombros. La dejó resbalar entre ambos hasta el suelo y pudo sentir la calidez de su suave cuerpo a través de la vaporosa gasa del camisón.

—¡Pero esto es imposible! —exclamó ella—. Estas cosas sólo suceden en los sueños, no en la vida real.

Armand le puso las manos en las caderas y la preparó con esmero para lo que pretendía hacer. Madeleine adoptó la posición con tanta rapidez y naturalidad como si hubiera hecho el amor así cientos de veces, aunque él estaba seguro —todo lo seguro que se puede estar en estos asuntos— de que Pierre-Louis nunca se había atrevido a hacérselo de este modo. Y sin embargo, quizá por algún talento innato en las mujeres, Madeleine se inclinó hacia adelante, con la grupa desnuda apuntando hacia Armand.

La luz de las farolas de la calle bastó para que él viera que los pies separados, enfundados en las bonitas zapatillas de satén azul, estaban firmemente plantados a medio metro de la pared, y las manos se juntaban sobre el marco de la ventana para sostenerse. Madeleine inclinó la cabeza en actitud sumisa y apoyó el rostro sobre el dorso de las manos, no sin asegurarse de que podría seguir mirando por la ventana, a través del reducido espacio que quedaba entre la cortina, que ella mantenía apartada, y la pared.

—Las cosas irreales suceden con más frecuencia en la realidad que en los sueños –dijo Armand, excitada su curiosidad–. ¿Sueñas a menudo que haces el amor?

—Oh, sí –dijo sin aliento.

—¿Y yo salgo en ellos? ¿Sueñas que te hago cosas deliciosas?

—Estoy segura de que te gustaría saberlo –le respondió ella.

—¿Me contarás tus sueños? –le preguntó ansioso, con las manos entre las nalgas de su culo desnudo, acariciando el monte dividido que sobresalía hacia él–. Si esto te los recuerda, deben ser muy interesantes... ¡me muero por oírlos!

—Ahora no, ahora no, Armand.

—¿Alguna vez? –persistió él.

—Quizá... –susurró ella, como si fuera reacia a compartir con él los secretos íntimos de sus sueños.

En ese momento carecía de importancia, pues Armand se preparaba para llegar al final de tan extraordinaria ocasión. Se desabrochó los pantalones del todo y dejó que resbalaran por las piernas hasta los tobillos, luego arremangó el frágil camisón de Madeleine hasta su cintura con una mano mientras se cogía el pinzote con la otra. La mano le temblaba descontrolada al guiarlo entre los muslos abiertos hacia el *petit palais* de Madeleine.

—¡Oh, tú! —exclamó sin aliento cuando notó que la llave se insertaba en la cerradura—. ¿Es que no piensas en otra cosa cuando estamos juntos?

—Después sí —respiró él y de un fuerte embate se internó en ella.

—¡Oh, vas a desgarrarme con tu cosa grande y fuerte! —jadeó ella.

En cuanto estuvo firmemente engullido en su calidez, Armand se quitó la chaqueta y se levantó la pechera de la camisa hasta el pecho, para disfrutar del placer de sentir el vientre desnudo contra el culo de ella.

—¡Es una locura! —gimió Madeleine.

Lo fuera o no, era inimaginablemente placentero. Armand podía oír la excitación crecer rápidamente en la voz de Madeleine, mientras gemía su nombre una y otra vez, y el trasero batía con insistencia contra él, como para enseñarle lo que debía hacer. Armand la rodeaba con sus brazos y, con las manos bajo el camisón, le agarraba las suaves y pequeñas granadas y jugaba con ellas. Entonces, cuanto todo estuvo dispuesto, empezó a balancearse contra las desnudas nalgas.

—¿Pierre-Louis está aún mirando por la ventana? —le preguntó él, anidando los labios en su nuca.

—No lo sé... —suspiró ella—, creo que sí... Estoy segura de que se pregunta qué estamos haciendo todo este tiempo.

—Está rezando para que sea tan persuasivo en su nombre que tú aceptes regresar con él esta noche —murmuró Armand—. Espera que le permitas hacerte lo que yo te estoy haciendo... Seguramente sabes que por eso está esperando ahí afuera.

–Entonces por mí puede quedarse ahí afuera toda la noche al relente –dijo Madeleine bruscamente, meneando fuerte el trasero para acelerar la llegada del orgasmo de Armand y vejar así a su marido.

–¡Oh, Madeleine –suspiró–, es tan maravilloso que no puedo aguantar más!

–¡Bien! –jadeó ella, meciendo el trasero más aprisa–. ¡Hazlo ahora... quiero que lo hagas!

La naturaleza siguió su curso y Madeleine vio cumplido su deseo casi al instante. Armand se hundió tan profundamente en ella que le hizo proferir un pequeño grito de sorpresa y él le apretó los senos con fiereza mientras regaba su elixir en el tembloroso vientre.

–¡Sí... eso es! –dijo ella exultante, bajando la vista con frenesí hacia el taxi que esperaba abajo en la calle–. ¡Más, Armand... más!

Su salvaje embestida provocó en Madeleine los momentos de éxtasis como un torrente desbordado. Gimió de arrobamiento, sacudiendo el cuerpo tan fuerte en frenético triunfo que casi perdió el sentido. Se habría caído al suelo si Armand, al notar que empezaba a derrumbarse, no la hubiera salvado. La abrazó fuerte por la cintura y la sostuvo mientras jeringaba su ofrenda en ella. En aquel momento a Madeleine le flaquearon las rodillas y se colgó de los brazos de él, recorrida furiosamente de espasmos mientras el largo paroxismo se aproximaba a su conclusión. Había soltado las manos de la ventana, pero aún mantenía apretada la frente contra el cristal.

Cuando por fin todo acabó, Armand la oyó inhalar una profunda bocanada de aire. Alivió la carga de sus brazos, apoyándose otra vez en los pies y enderezando las piernas para sostenerse. Armand continuó sujetándola.

–Querida Madeleine... –murmuró–. ¡No sé qué decir después de esto! ¡Te adoro hasta la locura!

–Eres tú el que ha estado soberbio –respondió ella en voz baja–. ¡Tanto peor para Pierre-Louis!

–Me había olvidado de él –dijo Armand–. ¿Aún está esperando abajo?

–Oh, sí, aún está allí... y creo que empieza a impacientarse –respondió ella, con un malicioso carcajeo en la voz–. Ha sacado la cabeza del taxi y ha levantado la vista en el mismo instante en que tú me hacías oír trompetas doradas y entrar en el cielo.

–¡Qué modo más encantador y poético de describirlo! Recordaré tus palabras la próxima vez que hagamos el amor.

–Y será pronto, te lo prometo –dijo ella desempalándose de la húmeda vara–, pero por ahora, creo que es mejor que bajes y le digas a mi estúpido marido que está perdiendo el tiempo ahí afuera. Asegúrate de que se va... no quiero que los de la casa se despierten por un loco que intenta derribar la puerta en mitad de la noche.

Armand se subió los pantalones desde los tobillos, se metió la camisa y se abrochó los botones. Palpó a tientas en la oscuridad hasta que encontró la chaqueta y se la puso. En el fragor del encuentro la elegante negligé de Madeleine, tirada en el suelo, de algún modo había llegado hasta sus pies. La recogió, con la esperanza de que no hubiera sufrido ningún desperfecto y le ayudó a ponérsela, rozándole los pechos a través del liviano camisón.

–¿Cuándo volveremos a vernos? –susurró él con los labios apretados contra la suave nuca–. No puedo vivir sin ti.

–Cuando tú quieras –respondió Madeleine con indiferencia, haciéndose a un lado, alejándose de él, mientras se ataba la negligé con el cinturón.

Le acompañó hasta la puerta y le echó los brazos al

cuello para darle un beso de buenas noches. En la entrada la luz eléctrica estaba prendida y Armand la miró a los aterciopelados ojos marrones y le acarició el rostro. Él creyó comprender por qué Madeleine había consentido en permitirle hacerle el amor a un paso de su marido: era evidente que le producía cierto placer malicioso humillar a Pierre-Louis mentalmente de este modo.

Pero en esto, como en muchas otras cosas, Armand subestimaba ingenuamente las complejidades y contradicciones del corazón femenino. ¿Cómo podía él, que no era más que un hombre, adivinar que al saciarse de tan plena y extraña venganza, Madeleine recordaba que era a Pierre-Louis a quien amaba y no a Armand? Tenía en mente regresar con Pierre-Louis y reanudar el papel de amante esposa en cuanto tuviera la razonable certeza de que su historia de amor se había acabado. Mientras Armand disfrutaba del conocimiento secreto de haber gozado de Madeleine ante las narices de su esposo, ella abrazaba en su corazón el secreto de que no tardaría en tumbarse de espaldas con Pierre-Louis entre las piernas.

Pero no de inmediato, por supuesto: no hasta que se hubiera cansado de su inaceptable romance y regresara a ella suplicándole. Le agradaba saber que se había peleado con la zorra que lo había atrapado; era de esperar que sufriera noches insomnes y días desolados. Por lo que conocía de él, Madeleine suponía que pronto lo tendría a sus pies; el hecho de haber enviado a Armand era un indicio de que no la haría esperar mucho.

Aunque no habían transcurrido más de cinco minutos desde el maravilloso y volcánico episodio de la ventana, Armand, con la espalda apoyada contra la puerta de la casa, unía los labios a los de Madeleine en un ardiente beso y metía la mano por la negligé para acariciarle los pechos.

—Oh, Madeleine, *je t'adore, je t'adore* —murmuró, y ella notó su ariete contra el muslo. En cuestión de minutos le habría vuelto a arremangar el camisón otra vez.

—*Au revoir*, querido Armand —dijo ella en voz tenue, dejando paso libre entre él y la puerta—. Me has fatigado maravillosamente haciéndome el amor. Telefonéame por la mañana, pero no antes de las once y media.

Antes de que a Armand se le ocurriera una respuesta, ella abrió la puerta y él se encontró fuera, con las esperanzas truncadas y el congestionado miembro flotando en los pantalones.

4

Bajo los puentes de París

Sabedora de que Madeleine se había separado de su marido y vivía con su hermana desde hacía más de un mes, Marie-Therese Brissard tuvo el tacto suficiente como para no molestarlos por la cuestión de su fiesta. Y como era amiga de Madeleine, no envió invitación a Pierre-Louis y le insinuó que, en su lugar, acudiera acompañada de Armand Budin. Quién sabe si esta proposición, en apariencia inocente, significaba que Marie-Therese sabía que Madeleine y Armand eran amantes. Se suponía que su relación íntima era un secreto que sólo conocían muy pocas amigas íntimas de Madeleine. Pero la animación natural que acompaña a los secretos de amor hace que resulte imposible que sean confidenciales durante mucho tiempo.

Esa noche había mucha gente presente en el salón Brissard, pues Marie-Therese y Maurice tenían una buena reputación como anfitriones. Y, mientras Madeleine conversaba con la anfitriona, ¿quién espiaba a Armand a sus anchas desde el otro extremo de la anchurosa sala, para incomodidad de éste? No podía ser otra que Dominique Delaval con un vestido azul: Dominique, que había sido su más querida amiga antes de que la repudiara por Madeleine. Si Marie-Therese hubiera estado al corriente de ese romance no se habría esforzado lo más mínimo por ahorrar a Armand y a Dominique ninguna situación embarazosa.

Claro que Armand era muy consciente de Dominique.

92

Entablaba una animada charla con todos los que le rodeaban, encantando a cualquier mujer y divirtiendo a cualquier hombre con su ingenio. Lo cierto es que se sentía culpable y un poco avergonzado del modo descortés en que había tratado a Dominique: una sonrisa prometedora por parte de Madeleine y puso punto final a su *affaire* con la rubia Dominique bruscamente, sin explicación ni excusa. Hay quienes opinan que éste es el modo más amable de todos, una desgarradora estocada en el corazón en lugar de la persistente agonía de las eternas despedidas.

Pero Dominique no era alguien a quien se pudiera ignorar de ese modo. Poco a poco, deteniéndose varias veces para saludar a amigos e intercambiar unas pocas palabras con ellos, dio la vuelta al perímetro del salón Brissard hasta que estuvo al lado de Armand. Y como él aparentaba no notar su presencia, le dio unos golpecitos en el brazo y le dijo, con una sonrisa tan enigmática como la de Mona Lisa:

—*Bonsoir*, Armand.

Armand se volvió hacia ella, con una sonrisa complaciente en el rostro atractivo, mientras le besaba la mano con tanto magnetismo como si realmente estuviera encantado de verla.

Para tratarse de una mujer despreciada, no demostró la menor ira ni azoramiento al entrar en la conversación del grupito que rodeaba a Armand. A decir verdad, resplandecía de hermosura. El estilo de su vestido azul jacinto proclamaba ser obra de un maestro; era del más fino satén, y el escote festoneado tan pronunciado que dejaba al descubierto buena parte de los generosos senos. En cada muñeca un brazalete de diamantes adornaba sus brazos desnudos, prueba de que, aunque Dominique ya no tenía marido, no carecía de admiradores espléndidos.

93

Pocas mujeres estarían de acuerdo con la teoría de la rápida y fatal estocada para concluir una relación amorosa. En general prefieren que les expliquen –lo que significa que exigen que les expliquen– el motivo por el que su amante está a punto de abandonarlas para siempre. Dominique pertenecía a esa mayoría que se cree en su derecho a saber, en especial en tan raras circunstancias como las que rodearon su abandono. En aquel momento le pareció inexplicable; después de pasar la noche bailando, la había acompañado a su casa y le había hecho el amor cinco o seis veces con gran entusiasmo, antes de irse en silencio por la mañana temprano mientras ella aún dormía.

Desde ese día no había oído ni una palabra de él y no respondía a sus llamadas telefónicas. Como es natural, siendo una joven de cierta experiencia con los amantes, no le resultó difícil adivinar la razón. Y por imperturbable que pudiera parecer su conducta por fuera, Dominique se había formado la inamovible idea de recuperar a Armand. No es que estuviera enamorada de él, al fin y al cabo sólo era uno más de la media docena de hombres que la entretenían, la llevaban de compras y tenían libre acceso a sus encantos personales. Puede que Armand fuera su favorito, pero al margen de eso, por una cuestión de principios, debía pagar por el modo en que se había comportado.

Sacó un cigarrillo de su bolsito de noche y esperó a que Armand se lo encendiera. Él sacó temblando un mechero de oro –regalo de cumpleaños de una antigua amante– y Dominique le cogió la muñeca, como para sujetarlo quieto, mientras se inclinaba sobre la llamita. Si alguien se hubiera molestado en observar esta acción, habría notado que ella se inclinaba más de lo estrictamente necesario, lo bastante para que Armand pudiera atisbar por la

94

escotada y festoneada pechera del vestido, de haber querido.

Dada la intimidad de su antigua amistad, Armand tenía buenos motivos para creer que Dominique acostumbraba a sujetar sus encantadores y grandes pechos –aunque no estuvieran de moda– en unos compresores sostenes blancos o rosados. A un hombre que gozaba acariciando los senos de las mujeres a la menor oportunidad posible –e imposible–, estas útiles prendas le parecían incómodas y frustrantes. Al bajar la vista hacia el vestido, Armand esperaba no ver más que dos cúpulas de blanco satén. ¡Cuál sería su sorpresa y alegría al percibir un par de pálidos y saltarines globos desnudos con prominentes pezones carminosos!

Armand no sabía que Dominique había descubierto recientemente en la Rue Cambon a un auténtico genio de la corsetería, que la había iniciado en la elegancia de un tipo de sostén de su propia invención, o al menos eso pretendía él. Ni que decir tiene que las creaciones de Monsieur Lecroq eran carísimas porque tenían que ser cosidas a mano para adaptarse personalmente a la morfología de cada clienta, pues, como nunca se cansaba de informar a los visitantes de su *boutique* mientras manoseaba y medía los tiernos encantos de sus clientas, en su opinión de profesional experto, los pechos de toda dama son únicos en su redondez, tamaño y posición en el cuerpo.

Las ingeniosas prenditas que salían de su taller no tenían tirantes y se ceñían al cuerpo, gracias a plataformas curvas de satén reforzado que proporcionaban firme y, no obstante, discreto sostén a pechos descomunales, mientras los dejaban enteramente al descubierto. Como resultado de las habilidades de Lecroq, y tras varias pruebas y retoques, la visión que hizo a Armand bajar la vista hasta el escote de Dominique fue tan fascinante que se quedó con la mano extendida y la llamita del encendedor de oro siguió ardiendo durante unos segundos después de que ella se irguiera y exhalara una larga bocanada de humo azulado.

Dominique sonrió astutamente ante la expresión que vio en su rostro mientras se quedaba como un estúpido con el encendedor tendido. Era una expresión con la que se había familiarizado durante el tiempo que habían pasado juntos: una declaración muda de admiración y deseo. Y siendo como era una mujer de afilado ingenio, al instante Dominique tomó la iniciativa. Miró el fulgurante extremo del cigarrillo, dijo que no se había prendido bien y volvió a inclinarse sobre la mano de Armand. Se quedó en esa posición unos segundos, para brindarle amplias oportunidades de recrearse los ojos sobre sus descubiertos tesoros y le acarició la mano con las yemas de los dedos, con el pretexto de sujetársela firme... se la acarició despacio de aquí para allá ¡como si se tratara de otra parte del cuerpo!

Cuando lo liberó del sortilegio que había lanzado sobre él, una leve rojez en las mejillas de Armand traicionaba su estado de exaltación. Por un acuerdo tácito, ambos se alejaron imperceptiblemente del grupito de personas del que habían formado parte, hasta que pudieron hablar sin el inconveniente de ser escuchados. Ahora que sabía que los suculentos melones de Dominique estaban desnudos debajo del vestido y la combinación, Armand no podía quitarles la vista de encima: contemplaba el corpiño del vestido como si tratase de discernir los pezones a través del satén, lo cual era exactamente su intención.

Mientras conversaban sobre tonterías triviales, Dominique estimuló su exaltación con deliberados movimientos de hombros que hacían que los holgados senos rodaran un poco debajo del vestido. Y el delicado rubor de las mejillas de Armand aumentó y se intensificó a la vez que el colgante dentro de sus pantalones se levantaba para la ocasión. Pero, a pesar de que jugaban a un juego inmensamente excitante, Armand temía en secreto que Madeleine descubriera que se había quedado a solas con Dominique y sacara la inevitable conclusión. Eso habría sido desagradable en extremo.

Le había gustado mucho que Dominique no hubiera dicho ni una sola palabra de reproche. De hecho, se comportaba hacia él con el afecto natural propio de un viejo amigo de confianza. Para tratarse de una mujer, era notable tan ilustre actitud –pensó él–, pero siempre había sabido que Dominique era una mujer notable. Huelga decir que en eso Armand se engañaba a sí mismo. Las emociones de Dominique operaban al mismo nivel de instinto primitivo que las de cualquier otra mujer cuyo amante la hubiera dejado por otra, como Armand aprendería a su debido tiempo, para su mortificación.

Pero por ahora resultaba encantadora. Dominique acercó un momento la cabeza a la suya, de modo que el sensual perfume casi lo mareó de placer y en un susurro confidencial le dijo que tenía que consultarle algo de gran importancia para ambos.

–Claro, pero aquí no –respondió Armand, tragándose el anzuelo como el menos suspicaz de los peces de un río.

–¿Fuera, en el recibidor? –insinuó ella, levantando el ceño en interrogación.

Pero cuando salieron por separado del salón, en el recibidor no había ninguna intimidad. Una de las doncellas se encontraba allí para ayudar a los que llegaban y a los que partían con los abrigos y sombreros, y otros criados lo atravesaban constantemente con bandejas, botellas, copas limpias y otros requisitos de la recepción. Ar-

mand se encogió de hombros contrariado, pero Dominique había sugerido el recibidor como el primer paso
para sacarlo del atestado salón. Esperó un momento a
que no les observaran, le cogió de la mano y lo alejó del
recibidor y del salón hacia la parte de atrás de la gran
casa de los Brissard.

Armand no tenía ni idea de a dónde se dirigían, ni
tampoco Dominique. Pero el lugar no era importante,
siempre que encontraran un rincón donde estar a solas
durante un momento mientras ella le decía lo que le tenía que decir. Tras algunos minutos de búsqueda, encontró un sitio que le pareció perfecto: el pequeño dormitorio de una doncella justo al fondo de la casa, con una
ventana que daba a una pared a menos de dos metros de
distancia. Todos los criados estaban muy ocupados sir-
viendo a los invitados, no había riesgo de que el ocupan-
te del sombrío cuartucho regresara hasta al cabo de algunas horas.

Dominique encendió la única luz que colgaba del centro del techo. El resplandor distaba mucho de ser brillante y en cuanto se cerró la puerta, Armand la abrazó y depositó una lluvia de tiernos besos en su rostro.

–Ah, ¿de modo que es esto? ¿no? –exclamó ella, apar-
tándolo de un empujón–. Casi dos meses sin tener noticias
de ti... me has evitado deliberadamente todo este tiempo.
¡Y cuando nos encontramos por casualidad, esperas que
entre nosotros todo sea como antes!

–Pero yo creo que... –tartamudeó él, sorprendido por
el cambio de humor hacia él.

–No, Armand, tú nunca piensas. Conociste a otra y me
dejaste sin una palabra –dijo con tanta convicción en la
voz que eso debía de haber constituido una advertencia
para él–. Tú nunca utilizas el cerebro, querido... simplemente haces lo que esto sugiere.

98

Y los brazaletes de diamantes centellearon en sus muñecas cuando tendió ambas manos y antes de que a Armand le diera tiempo a evitarlo, le desabrochó los pantalones, desde la cinturilla hasta la ingle.

—Dominique, por el amor de Dios —exclamó él, cogiéndole por las muñecas, consternado al pensar que Madeleine podía estar buscándole y encontrarle indecentemente desnudo de ese modo con otra mujer.

Dominique no tenía tales reparos, apartó de en medio la pechera de la camisa de seda con una mano mientras con la otra, le cogía el apéndice y se lo sacaba por la rendija de la ropa interior para escrutarlo.

—Como sospechaba... fláccido y blando —declaró—. Es obvio que has estado usándolo mucho recientemente, aunque no conmigo. ¿Quién ha estado beneficiándose de él, Armand? Dímelo. ¿Madeleine Beauvais? Todo el mundo sabe que ha abandonado a su marido. ¿Lo dejó por ti?

Armand se las arregló para apartarle la mano, pero eso no zanjaba el tema, ni mucho menos; Dominique sabía como salirse con la suya. Antes de que pudiera guardarse el equipo en los pantalones, Dominique puso una rodilla en tierra y lo engulló en la ardiente boca. No en vano habían sido amigos íntimos durante casi un año antes de que él la abandonara por Madeleine, en ese tiempo Dominique había llegado a apreciar la extrema susceptibilidad de Armand a los encantos femeninos y sabía lo sencillo que era excitarlo. Media docena de lametazos y la verga se enderezó en su boca.

Armand contemplaba boquiabierto los pantalones desabrochados, donde su querido miembro se erguía desde un nido de vello negro ensortijado y la rubia cabeza de Dominique oscilaba hacia arriba y hacia abajo. Tenía los ojos cerrados y el rostro sereno bajo el flequillo rubio, y la visión era tan estimulante que Armand se quedó absorto. Dominique oyó su pequeño suspiro, lo interpretó correctamente, levantó la boca pintada de escarlata de su tarea y alzó la vista hacia él. Los oscuros ojos azules le miraron con audacia a la cara mientras le agarraba fuerte el duro mango entre los dedos y le daba masaje.

—¡Pero, Dominique..., no podemos hacerlo aquí! —suspiró Armand.

Había sincero arrepentimiento en su voz. En pocos segundos el experto trabajo de Dominique le haría olvidar su miedo a ser descubierto y las consecuencias. No malgastó palabras en responderle, se levantó rápidamente y se arremangó el bajo del vestido color azul jacinto hasta la cintura. Armand bajó la vista fascinado por la cremosa extensión de sus muslos desnudos entre el límite de las medias y las bragas de seda *eau-de-nil* con puntillas de encaje. Armand murmuró su nombre, como para sí mismo, cuando apartó a un lado la pernera holgada de las bragas y desnudó el vellón castaño claro que adornaba su redondeado monte.

—Así está mejor —dijo con aprobación, agarrándole el gran taco que había humedecido con la lengua—. Tan tieso como el palo de una escoba y casi tan grueso. Eso es muy loable, querido. Ella aún no te ha agotado por completo.

—¡Dominique, si alguien nos ve! —jadeó él, volviendo a sus temores ahora que se presentaba el momento psicológico de la verdad.

Armand estaba en tan avanzado estado de excitación que se le escapaba la ironía de la situación; estaba repitiendo casi exactamente los mismos reparos que Madeleine le había objetado cuando se hallaba junto a la ventana del salón de Yvonne y él le había levantado el camisón para acariciarle el liso cuerpo desnudo. En su caso las objeciones eran ficticias, pues era extremadamente improbable que nadie les interrumpiera en el salón de Yvonne. Pero allí, durante una fiesta, de pie con Dominique junto a la armadura de hierro de la cama, en el cuarto de la criada de los Brissard, con su magnificencia masculina completamente desnuda y erecta, el peligro era grande.

Pero, como todo el mundo sabe, cuando el querido miembro de un hombre se yergue tieso, todas las facultades de raciocinio, lógica e inteligencia huyen de inmediato de él, lo que equivale a decir que el hombre es capaz de cualquier estupidez. El orgullo de Armand aleteaba en la mano de Dominique y las sensaciones eran tan deliciosas que estaba dispuesto a correr cualquier riesgo: sus amigos, su reputación, estaba dispuesto incluso a arriesgarse a perder a Madeleine. Y Dominique lo sabía y contaba con ello.

Intentó darle la vuelta y acostarla en el duro lecho, pero ella no tenía tiempo para eso. Con la mano firme en el manubrio, lo atrajo hacia ella y lo colocó entre sus muslos desnudos. Sin saber apenas lo que hacía, Armand se hundió en ella.

—¡Sí! —gritó Dominique triunfante, mientras él la cogía por la cintura y bombeaba en ella con fuertes empellones.

Dominique manoseó en el pantalón desabrochado y, en su urgencia le arrancó el botón de la cinturilla que cerraba los calzoncillos de seda. Metió las manos en la caída prenda para agarrarle con fiereza el trasero desnudo. Armand gruñó de doloroso placer mientras ella le clavaba las uñas en la carne con la cruel fuerza de una leona desgarrando a su presa indefensa con las garras.

—¡Qué estás haciendo! —gimió él, golpeándola con el vientre en un incontrolable paroxismo de deseo.

Dominique echó hacia atrás su rubia cabellera, con la boca abierta, y jadeó:

—¡Ahora, Armand! —Casi al instante sintió el chorro fluir en su interior—. ¡Oh, sí! —suspiró ella mientras le sobrevenía el orgasmo.

Pero no habría tierno y compartido crepúsculo de la pasión. Casi antes de que el miembro engullido hubiera dejado de brincar, Dominique se despegó de él, dejándolo sin sostén sobre piernas temblorosas. Todo había sucedido tan rápido que Armand no podía creer que hubiera acabado, que su globo que se hinchaba al instante hubiera superado su límite y explotado ya. Avanzó tambaleándose hasta la cama y se sentó, contemplando con ojos muy abiertos el vestido azul claro de Dominique deslizarse sobre las caderas para taparla hasta las rodillas como la caída del telón cuando la función termina.

Por desgracia no hubo avisos de telón, ni gritos de *encore*, ni ramos de flores para los actores de la pequeña comedia que se acababa de representar. Armand sentado sin habla sobre la cama, con el húmedo miembro al descubierto, contemplaba a Dominique de manera acusadora. Sus emociones se confundían de modo inconcebible en ese momento; en su mente Dominique le había tentado hasta ese cuartito oscuro y le había engatusado para hacerle el amor, le había obligado a correr un riesgo absurdo y ¿para qué? El placer que ella le había dado no había durado más que un copo de nieve sobre el Sena. Pero lo peor estaba por venir.

—¿Recuerdas cómo me violaste en la escalera, Armand? Me pareció educado devolverte el cumplido —dijo Dominique, con un claro tono de desdén en la voz—. Quédate así... con los pantalones bajados. Te enviaré a tu nueva amiga para que vea lo que has estado haciendo.

Y con un revuelo de faldas, se fue, dejándole solo y sintiéndose absolutamente imbécil en el incómodo cuartucho. Le asaltó el pánico al imaginar la escena de Madeleine abriendo bruscamente la puerta y mirándole con furia celosa. Con dedos temblorosos, se metió la decaída verga en el arrugado calzoncillo y se puso en pie para abrocharse los pantalones, con la idea fija en la cabeza de que debía ocultar aquello que, en otras circunstancias, estaría más que contento de enseñar a Madeleine.

Fue entonces cuando descubrió malhadadamente que el brutal asalto de Dominique le había arrancado dos botones del pantalón, así como el botón de nácar de los calzoncillos. Se abrochó los que le quedaban y examinó el resultado en el espejo que se hallaba en un anticuado tocador junto a la pared, pero la luz de la habitación era pobre y no confiaba demasiado en que el estado de sus pantalones pasara totalmente desapercibido cuando regresara al salón. Le asaltó otro pensamiento: ¿y si la doncella que ocupaba ese cuarto encontraba un par de botones de pantalón de hombre?, seguramente se plantearían preguntas.

No quedaba más remedio que arrodillarse y buscar los botones perdidos en la tortuosa luz de la habitación. Metió la mano bajo el angosto lecho y pronto fue recompensado: uno había saltado debajo, y el botón de nácar estaba sobre la cama, donde el ímpetu de la salvaje acometida de Dominique lo había lanzado. Pero el otro botón del pantalón no se veía por ninguna parte. Hurgó debajo del tocador y en los rincones oscuros del cuarto, esperando temeroso a que los pasos del exterior anunciaran la llegada de Madeleine. Y al cabo de cinco minutos de inútil búsqueda, se rindió y huyó del cuartito.

No es necesario explicar que Dominique no dijo nada a Madeleine y nunca tuvo la menor intención de hacerlo. Se trataba de una amenaza vana lanzada en el acaloramiento del instante, para aprovecharse de la mala conciencia que había visto reflejada en el rostro de Armand cuando se derrumbó sobre la cama después de echar el polvo. Como amenaza fue muy eficaz: logró hacerle pasar un mal cuarto de hora. Y cuando Armand llegó al salón, Dominique ya se había despedido de los Brissard y se había marchado, llevándose consigo a su perplejo acompañante.

La simple verdad era que Armand estaba mortificado por el episodio con Dominique y la urgente necesidad de mantenerlo en secreto ante Madeleine. Su vejación duró el resto de la velada y fue tan evidente que, cuando él y Madeleine salieron de la casa de los Brissard, ella le pidió que la llevara directamente a casa de su hermana. Su anterior intención era ir a un club nocturno a bailar con Yvonne y su actual conquista para divertirse un rato. Cuando Yvonne oyó el cambio de planes, se encogió de hombros y partió en el nuevo y reluciente coche de su admirador, de ningún modo contrariada.

Armand llevó a Madeleine en taxi a la Rue Saint Didier y, aunque habría subido a casa con ella, Madeleine le detuvo en la puerta de la calle.

—Buenas noches, Armand —dijo ella con firmeza—. Telefonéame mañana si estás de mejor humor.

Con mucha serenidad le ofreció la mejilla para un educado pero reglamentario beso y le dejó de patitas en la acera, con la sensación de ser un estúpido, y no era la primera vez en esa noche. Suponiendo que Madeleine le invitaría a subir a tomar una copa y quizás a un achuchón, había despedido al taxi antes de asegurarse. Para aquel entonces ya se había marchado; a lo lejos vio el rojizo parpadeo de sus intermitentes traseros, virando por la Avenue Kebler. La noche otoñal era fría y melancólica y el aire estaba cargado de la lluvia aún no derramada.

Armand cruzó la calle para detenerse en la acera de enfrente y elevar la mirada hasta las cortinas de las ventanas de la casa de los Hiver, en la primera planta. Hacía sólo una semana estaba detrás de aquellas cortinas en la oscuridad con Madeleine, palpando sus pequeños pechos desnudos bajo el camisón. ¡Ah, qué maravillosa velada... qué deliciosa sensación disfrutar de su elegante cuerpo mientras ella, de pie junto a la ventana, observaba a Pierre-Louis! La situación le había producido un fantástico orgasmo –y también a ella–, pues si no la hubiera sujetado en brazos, Madeleine se habría caído al suelo.

El recuerdo hizo que el fiel compañero que colgaba entre los muslos de Armand saliera del letargo en el que estaba sumido y levantara la cabeza. Sin el botón que lo contenía, los calzoncillos de seda de Armand colgaban arrebujados dentro de las perneras del pantalón, de modo que, cuando su ávido amigo se puso en guardia, nada le impidió asomar por la incompleta botonadura de la que Dominique había arrancado los botones. Y, con un infalible instinto para penetrar en cualquier brecha que se le pusiera a tiro, asomaba con audacia a través de la rendija para frotarse contra el negro satén del forro del abrigo.

«Mi pobre amigo –pensó Armand en silencio, dirigiéndose a su frustrado miembro–, la hermosa Madeleine nos ha abandonado, a ti y a mí. El placer que exiges no nos está permitido esta noche. Ella está arriba en el salón detrás de la ventana y nosotros aquí afuera en la acera compartiendo el triste secreto del ardiente receptáculo en el que te derramaste antes. Estoy demasiado deprimido para pensar en una visita a Chabanais o a Maison Junot o a cualquier otro establecimiento que disponga de mujeres jóvenes. No queda más remedio que irse a casa y a la cama.»

Después de tan vejatoria experiencia, imaginaos cuál sería el asombro de Armand cuando, a la mañana siguiente, mientras estaba tomando café y leyendo el periódico, Madame Cottier le interrumpió para anunciar a Madame Delaval. Madame Cottier era la viuda de mediana edad que se ocupaba cada mañana de atender a las sencillas necesidades domésticas de Armand. Le traía el periódico del kiosco más cercano y bollitos recién hechos de la panadería, le hacía el café, le limpiaba el apartamento, le lavaba y planchaba las camisas y, en general, se hacía absolutamente indispensable para su vida de soltero.

Antes de que a Armand le diera tiempo a decirle indignado que despidiera a la inoportuna visita, Dominique entró en el salón donde él se hallaba cómodamente sentado en un sillón, en pijama y batín, al lado de una mesita para el café y los croissants.

–Buenos días, Armand –dijo Dominique alegremente–. Perdóname por venir tan pronto, pero pasaba por aquí y me pareció una buena oportunidad para decirte algo que te agradará oír.

Vestía un abrigo largo de piel de chinchilla, de una sutil tonalidad gris y un sombrerito de un gris más oscuro. Tenía las mejillas levemente arreboladas y cuando se quitó los guantes negros de gamuza, se frotó las manos con energía para calentárselas. Madame Cottier se retiró para proseguir con su trabajo y Dominique se sentó en un sillón frente a Armand. Él simuló devolverle el saludo medio incorporándose, sin hacer el menor intento por rozarle la mano y volvió a hundirse en el sillón, mirándola con suspicacia.

Ni por un segundo creyó que Dominique pasaba por allí de camino hacia alguna parte. Eran poco más de las nueve; demasiado pronto para que Dominique estuviera despierta y arreglada para ir a ningún lado. Estaba seguro de que se encontraba allí por algún insidioso propósito, pero sus palabras lo pillaron desprevenido.

–He venido a presentarte mis más sinceras disculpas, Armand –dijo–. Ayer me comporté de manera vergonzosa. No tengo excusa. ¿Qué pensarás de mí?

Dominique se encogió de hombros en un gesto de arrepentimiento que expresaba su consternación del modo más encantador del mundo. Armand nunca había podido resistirse cuando una mujer bonita apelaba a su buena fe y aceptó graciosamente sus disculpas.

–Bueno, entonces volvemos a ser amigos –dijo Dominique levantándose para marcharse ahora que se habían reconciliado.

Sin embargo, Armand descubrió que no tenía la más mínima intención de marcharse, al menos no de inmediato. Se aflojó el nudo de la bufanda de seda rosa y se la quitó para descubrir la suave piel del cuello y el pecho. Y Armand la contempló, medio maravillado, medio adivinando lo que seguiría a continuación, desabrocharse el abrigo de pieles por completo, dejarlo resbalar un poco por los hombros, y con una amplia sonrisa mostrarle que no llevaba más ropa. Pero su hermoso cuerpo no estaba totalmente desnudo, alrededor de la cintura vestía un liguero de encaje y satén blanco para sujetar las medias grises de seda.

–¡Oh, Dominique! ¿por qué me haces esto? –preguntó Armand con un largo suspiro.

–Pensé que sería bonito recordarte lo que te estás perdiendo –respondió ella, abriéndose del todo el abrigo–. ¿Por qué dejaste de encontrarme atractiva después de hacerme el amor seis veces en una noche? ¿Te resulto repulsiva ahora?

Armand contemplaba los pechos desnudos, grandes, redondos y con prominentes pezones cárdenos. Recordaba vivamente lo agradable que había sido tenerlos en las manos, en los días en que hacían el amor con regularidad. Bajó la vista hacia la sinuosa línea del vientre, cortada por el liguero blanco, y recordó demasiado bien el placer de yacer sobre ese liso vientre. Bajó aún más la mirada, hasta el vellón de rizos rubiancos que cubrían el tierno melocotón que había partido tantas veces y con tanto gozo. Y volvió a suspirar.

Los labios rojos de Dominique se curvaron en una sonrisa al observar las expresiones, fáciles de reconocer, que surcaban la cara de pasmo de Armand. Avanzó hacia el sillón y se puso de rodillas ante él. Sin mediar palabra le desabrochó el cinturón del batín y los botones de la chaqueta del pijama de seda escarlata y le bajó los pantalones, desnudándole desde la garganta hasta las rodillas con un movimiento de mano. Su musculoso amigo ya estaba en plenas facultades y asentía de gratitud mientras ella lo acariciaba, como si se tratase de la agradecida respuesta del perro que se sienta y mueve el rabo cuando su propietario le da unos golpecitos en la cabeza.

–Vamos al dormitorio –susurró Armand–. Quiero ver como te tiendes de espaldas con las piernas abiertas y el abrigo de pieles desparramado debajo de ti...

–No hay tiempo para eso –murmuró, moviendo la mano arriba y abajo con gran habilidad y rapidez–. Recuéstate en el sillón, pero no te atrevas a cerrar los ojos. ¡Mírame!

¡Como si por un segundo él –o cualquier otro hombre lo bastante afortunado para encontrarse en su posición– fuera a cerrar los ojos o volver la espalda al delicioso espectáculo de los carnosos melones de Dominique balanceándose al ritmo raudo de su mano fuertemente cerrada y la crucecita de oro saltando de un lado a otro entre

108

ellos! Alargó las manos para estrujar las contundentes bellezas y ella se acercó más para ponerse a su alcance. –Dominique, Dominique... –jadeó–. *Je t'adore, chérie!*

Su adorada *chérie* estaba tan complacida del efecto que causaba en Armand que movía la mano aún más rápido y de repente se vio recompensaba por tal muestra de cariñoso coleteo, que casi se echó a reír de la simplicidad de los hombres, en especial los jóvenes guapos y vanidosos como Armand. Éste contemplaba fascinado el vellón rubio de la entrepierna de Dominique, mientras esperaba el increíble momento en que ella se sentase a horcajadas sobre sus muslos desnudos y se empalase en él. Y, como si Dominique le hubiera leído los pensamientos, al cabo de un instante él estaba cobijado en ese suave nicho y ella se mecía arriba y abajo en su regazo, tan deprisa que Armand supo que no tardaría más que unos segundos en inyectar en ella su deseo.

O así lo imaginaba encarecidamente, pero no era eso lo que se proponía Dominique. No había abandonado el calor de la cama antes de la hora habitual, tomado un taxi desnuda bajo el abrigo de piel hasta su casa para satisfacer a Armand, sino para proseguir con la lección que había decidido enseñarle, una lección que le colocaría en el lugar que le correspondía. Al principio le parecía bastante placentera –como también la noche anterior en casa de los Brissard–, pero el final sería otra historia.

–Dominique –jadeó él, sintiendo el miembro engullido a punto para lo que estaba a punto de suceder.

–Sí, Armand –dijo ella con serenidad–, eso es.

Con toda la intención, Dominique le había precipitado más deprisa y más allá de lo que él se creía; ahora ya era demasiado tarde para que Armand impidiera lo que ella había pretendido desde un principio. Al primer espasmo familiar de su vientre, Armand abrió los ojos ma-

109

rrones y los burlones ojos azules de Dominique bajo el flequillo rubio y el sombrerito lo miraban fijos cuando repentina e inesperadamente ella estiró las piernas y se levantó. El movimiento la desengastó por completo de él y le privó del cálido amarre en el preciso instante en que lanzaba su cargamento vital.

—¡No! —exclamó Armand consternado, mirando petrificado al estúpido traidor, que le traicionaba brincando de alegría y rociando su pasión sobre su propio vientre desnudo, hasta el vello oscuro del pecho.

Antes incluso de que los espasmos cesaran, Dominique se retiró hacia atrás con una misteriosa sonrisa en el rostro en tanto que se anudaba el pañuelo de seda alrededor del cuello y supervisaba los resultados de su hazaña. Armand levantó la mirada hasta ella, sin comprender nada, mientras Dominique se abrochaba el abrigo de piel para ocultar la lisa piel de su cuerpo desnudo de la vista de él.

—Debo darme prisa o llegaré tarde —dijo ella, con la misma indiferencia que si se hubiera dejado caer por allí para tomar una taza de café—. ¿Esperas a Madeleine esta mañana? ¡Que le aproveche lo que queda! No te olvides de saludarla de mi parte. *Au revoir*, Armand.

Y con un grácil gesto de la mano, se dio media vuelta y se fue por donde había venido, dejándole atónito. Dejó la puerta del salón medio abierta a propósito y Armand escuchó voces y unas risitas en la entrada, donde Madame Cottier despedía a su visita. Con el sudor del pánico brillando en la frente, sacó el pañuelo de seda del bolsillo del pecho de su batín y se secó apresuradamente, temeroso de que Madame Cottier pudiera entrar en la sala antes de que le diera tiempo a recomponerse el pijama de un modo decente. Una vez más Dominique había triunfado colocándole en una situación abyectamente embarazosa.

Su frase de despedida no andaba demasiado desencaminada y eso también era preocupante. Tras la segunda taza de café, apenas uno o dos minutos antes de que llegara Dominique, había decidido telefonear a Madeleine a una hora socialmente aceptable –a eso de las once de la mañana– para disculparse por su mal humor de la noche anterior. Y tras perdonarlo ella, la habría invitado a comer y luego la llevaría a su casa. Haría rato que Madame Cottier se habría marchado y tenía intención de convencer a Madeleine, de modo exquisito y en la cama, de que la adoraba más que a ninguna otra mujer del mundo entero.

Tuvo que admitir que lo cierto era que Dominique le había manipulado y tenía los nervios a flor de piel en lugar de estar calmado, debido al engañoso orgasmo al que ella le había inducido. Reconcomido por ese secreto, sabía que no estaba en condiciones de hablar con Madeleine sin el grave riesgo de repetir la «debacle» de la noche anterior. Decidió que lo más prudente era posponer la llamada telefónica hasta después de comer, para entonces esperaba que ese desagradable regusto a derrota que le invadía hubiera desaparecido. Tal vez Madeleine consentiría en cenar con él esa noche. Y después... ¿quién sabe?

Mas, cuando llamó por teléfono, un criado le informó de que Madame Beauvais no estaba en casa. La pérdida de otra oportunidad para enderezar las cosas con Madeleine le molestó tanto que de inmediato telefoneó a Dominique para cantarle las cuarenta. Ella estaba en casa, aunque el tono divertido que empleó con él al reconocerle le irritó aún más.

–Pero ¿por qué me llamas, Armand? ¿No te ha visitado Madeleine... o ya se ha ido porque has sido incapaz de satisfacer sus expectativas?

111

–¡Dominique, debes acabar con toda esta tontería! Debemos llegar a un acuerdo para respetar la intimidad de cada uno.

–¡Pero si yo respeto mucho tu intimidad! –respondió ella, conteniendo la risa–. Seguramente lo habrás comprobado esta mañana cuando me arrodillé para prodigarte mi cariño.

–No es cosa de risa –dijo colérico–. Veámonos dentro de media ahora y aclaremos las cosas entre nosotros de una vez por todas.

–¡Ajá! –exclamó Dominique–. ¿Me invitas a visitarte por segunda vez en el día de hoy? Allí estaré. ¿Quieres que vuelva a ponerme el abrigo de chinchilla?

–¡Aquí no! –dijo él alarmado.

–¿Entonces prefieres venir tú? Tanto mejor... te espero dentro de media hora. Cuando me fui esta mañana, salí a comprar ropa interior y he encontrado unas braguitas de crespón de seda tan bonitas que son completamente transparentes... ¡Imagínatelas! Me las pondré mientras te espero.

–¡No, no, no! –dijo Armand furioso por su negativa a tomarlo en serio–. No confío en ti... nos encontraremos en un lugar público.

–Como gustes –dijo ella, riéndose de su temor–. Nos encontraremos enfrente de Notre-Dame. No puedes pedir un lugar más público que ése. Estaremos rodeados de turistas extranjeros... así estarás a salvo de mí.

–Hasta dentro de media hora entonces –dijo Armand, aún suspicaz.

Era una época demasiado avanzada del año para los turistas extranjeros y la lluvia intermitente había espantado incluso a los más tenaces visitantes nacionales. Armand cruzó caminando el puente de la Île de la Cité, con el cuello del abrigo de pelo de camello levantado hasta el ala del sombrero para protegerse la nuca del viento frío e húmedo. Por encima del pretil veía el Sena, gris y sucio, arrastrando troncos rotos de madera, periódicos empapados y otras basuras menos identificables. Reflexionó y le pareció que había sido estúpido por su parte dejar que Dominique eligiera el lugar de reunión.

Sólo le hizo esperar al aire libre diez minutos y llegó vestida con una perfección teatral para un día como ése: un impermeable negro brillante y un sombrero a juego calado hasta las orejas. El impermeable se abrochaba en la cintura para acentuar las generosas curvas de los senos y el trasero. Le tendió la mano a Armand y él besó el dorso del fino guante de piel negra. Dominique sonrió y le ofreció la mejilla, y Armand se detuvo antes de rozarla con los labios. En eso Dominique se echó a reír y le ofreció la boca, pero Armand retrocedió y le recordó que habían acudido allí para hablar.

–Entonces habla, Armand –dijo ella alegremente–. Te escucho.

–Se va a poner a llover otra vez dentro de un minuto... busquemos un café donde podamos estar cómodos.

Pero Dominique no quería nada de eso. Era él quien había insistido en la incomodidad de un lugar público, en lugar de su apartamento o el de él... muy bien, entonces la conversación transcurriría al aire libre o no conversarían. Y así fue como Armand se encontró paseando con ella sobre los adoquines de la plaza mojados por la lluvia, al lado de la catedral. Cruzaron por el puente hasta la otra isla –la Île St-Louis– y bajaron hasta el paseo del malecón junto a la ribera del río.

–¿Por qué has decidido atormentarme, Dominique? –le preguntó–. Admito que debía haber arreglado nuestra separación de un modo menos brusco... Lo siento y espero que me perdones por la descortesía. Pero nunca hemos estado enamorados y seguramente no pretenderás que me crea el único hombre que mantenía relaciones íntimas contigo. Así que ¿por qué haces esto?

—Me parece extraordinario oír tus quejas porque te permití hacerme el amor ayer en la fiesta de los Brissard. ¿O te quejas porque me lancé sobre ti esta mañana y te hice recordar placeres pasados?

—¡Precisamente por eso! —dijo Armand—. Todo ha acabado entre nosotros.

—¡Cielos, cómo cambian los tiempos! —replicó ella—. Hace poco no habrías cabido de gozo si yo me hubiera lanzado sobre ti desnuda para darte un inesperado gustito a la hora del desayuno.

El Quai estaba casi desierto; la inclemencia del tiempo había ahuyentado a los vagabundos que normalmente se encuentran bajo los puentes con sus botellas de vino barato. Había tanta neblina en el aire que apenas se distinguían los viejos y abandonados edificios del otro lado del río, en la Rive Gauche, a través de un velo de bruma. Sólo un pescador solitario sentado y acurrucado dentro de un impermeable con las piernas colgando sobre el borde de piedra, contemplaba con la paciencia demencial de los obsesos el corcho que flotaba sobre el agua sombría y gris.

Armand y Dominique paseaban, riñendo, hasta que de repente rompió a llover, esta vez no sólo era una lluvia ocasional sino un desolador aguacero con pinta de durar. Armand arrastró a Dominique al trote por el Quai hacia el siguiente puente, para cobijarse.

—Admite que nunca me has querido —le acusó ella—, ¡y ahora me odias!

Se guarecieron de la lluvia debajo del puente y Dominique se volvió hacia Armand.

—¿Por qué? —le preguntó—. ¿Qué he hecho yo para merecer tu odio?

–Yo no te odio, Dominique, por favor no pienses eso –le dijo, poniéndole la mano en el brazo–. Te considero una de mis más queridas amigas, de veras. Pero... cómo podría explicarte...

–No hay necesidad de hacerlo, te comprendo mejor que tú mismo. Eres increíblemente voluble, Armand; ése es el terrible fallo de tu carácter.

–Lo sé –le confesó él–, pero ¿qué le voy a hacer?

Dominique se reclinó contra la grisácea sillería del puente y él se acercó para resguardarla del viento. Armand le sacaba media cabeza y ella se puso de puntillas y levantó el rostro para besarle.

–Eres imposible –murmuró Dominique–. ¿Hacemos las paces?

–¿Lo dices en serio? –le preguntó él, y como respuesta Dominique volvió a besarle.

Tenía los labios fríos pero la lengua que rozó la suya era cálida. El beso fue persistente y placentero; duró lo bastante para que a Dominique le diera tiempo a desabrocharle el abrigo y, con mano enguantada, palparle el blando bulto bajo los pantalones. Aceptando el reto, Armand echó una rápida ojeada a derecha y a izquierda: estaban solos debajo del puente, amparados en una cortina de lluvia que impedía la visión por ambos lados.

–Te lo advierto, querida Dominique, no estoy aquí para ser tu víctima –le dijo mientras la cogía por las muñecas y le levantaba los brazos hasta ponerle las manos en sus hombros, conteniéndola para que no pudiera hacerle daño.

–¿Y qué vas a hacer, Armand?

–Me vengaré.

–¡Te lo prohíbo! –exclamó ella, con centelleantes ojos azules.

Armand le desató el cinturón, le desabrochó el impermeable brillante y mojado y lo abrió, para descubrir que vestía un jersey de lana de cuello alto con un atrevido dibujo de diamantes blancos y negros, y una falda negra. En un instante le metió mano por la falda y la combinación de seda y le acarició entre los muslos desnudos, por encima del borde de las medias.

—¡Tienes las manos frías! —se quejó ella—. ¡Basta, Armand!

En verdad tenía las manos frías, pues, después de su conversación con ella por teléfono, había salido de casa en tal estado de irritación y confusión que se había olvidado los guantes. Los cálidos muslos de Dominique encerraron la mano entre ellos, para evitar que llegara más lejos y acariciara el centro de su placer con dedos helados.

—Te advertí que me vengaría.

Posó los labios en los de Dominique y ella los abrió un poco de modo que esta vez fue su lengua la que encontró a la suya. El beso duró más que el anterior y fue sin duda igual de placentero... quizá incluso más, pues al cabo de unos segundos Dominique relajó los muslos. La mano de Armand, algo calentada por el abrazo de la carne desnuda, prosiguió su breve y excitante viaje hacia arriba y descubrió la orilla bordada de las bragas. Se preguntó si se trataba de la prenda totalmente transparente de la que le había hablado al tentarle por teléfono.

—Oh, sí —dijo ella cuando se lo preguntó—. Te dije que me las pondría especialmente para ti, Armand. Están hechas de una seda rosada tan fina y delicada que se ve todo.

Tal vez dijera la verdad, tal vez no. En aquel momento carecía de importancia; Armand tenía la mano dentro de las bragas y agarraba en la palma la fuente de sus más íntimos placeres. Le apretó la cabeza hacia atrás contra la sillería, con la boca en la suya en otro largo beso y cerró los ojos para dar rienda suelta a su vehemente imaginación. En su imaginación vio el vellón rubio y ensortijado de Dominique a través de la seda tan delicada como vaporosa.

La imagen era tan excitante que lamió despacio con la punta de la lengua alrededor de los labios pintados de Dominique y en su fantasía no era la boca lo que su lengua tocaba sino aquellos otros labios escondidos bajo rizos rubios. Dominique notó cómo se estaba excitando y susurró:

–Armand, Armand, Armand…

Él le metió la lengua en la ardiente boca, imaginando que era la abertura que agarraba por dentro de las bragas de seda, bordadas y quizá transparentes.

Dominique hizo aletear la lengua contra la de él y separó los pies al notar que los dedos se abrían paso hasta la secreta alcoba de su entrepierna. Comprendía muy bien la fascinación que le producía a Armand jugar con ella y eso era lo que estaba esperando. Se felicitó de que su plan para reconquistarlo triunfara antes incluso de lo previsto. Había bastado con dos pequeños asaltos –anoche y esa mañana– para provocarle lo que él, en su inocencia, creía represalias. En efecto, al meterle mano en la entrepierna Armand se había rendido, aunque todavía no lo sabía.

Estaba tan profundamente sumido en su fantasía erótica, acariciando a Dominique hacia un delicioso orgasmo, que no prestó atención cuando ella bajó las manos de sus hombros. Ni tampoco puso reparos cuando Dominique le desabrochó los pantalones, se quitó un guante y le metió la mano en el calzoncillo –tal vez para compensar la de Armand dentro de ella– y le cogió el miembro que se empinaba con tenacidad. Lo manejó con tal ternura y delicadeza que Armand apenas era consciente de

117

su caricia, sólo de un aumento del placer que ya experimentaba al manipularla de modo tan diestro.

—Oh, Armand —suspiró ella—. ¡Daría cualquier cosa para que todo siguiera siendo como era antes entre nosotros! Eres una persona muy especial, querido... nadie me ha dado ni la mitad del placer que tú... ¡Te adoro desde la primera vez!

Huelga decir que le cautivó el cumplido, pues la experiencia de Dominique sobre el orgullo masculino le bastaba para saber cómo podía lograr su propósito.

—¿Te gusto, Armand? —le preguntó tan quejumbrosamente como le permitían los temblores de pasión que le sacudían el cuerpo.

—Te adoro —murmuró él, tan excitado que apenas sabía lo que decía, ni le importaba, en el ardor del momento, cómo se interpretasen sus palabras.

—¡Entonces me entregaré a ti en cuerpo y alma! —dijo ella jadeando, mientras llegaba el momento crucial y se restregaba contra los dedos de Armand en convulsiones de éxtasis.

—¡Dominique! —exclamó febrilmente.

A decir verdad, su placer era tan intenso al conducirla hasta tan satisfactoria conclusión que casi estaba fuera de sí. Todo ese tiempo la mano en los pantalones había sujetado la cabeza del palpitante proyectil entre el pulgar y el índice. Cuando la sacudieron los espasmos, Dominique lo agarró hasta sacarlo de los pantalones y meterlo por la holgada pernera de sus bragas. Apenas era consciente de lo que hacía pero el resultado fue extraordinariamente espectacular: Armand jadeaba y se hundía dentro de ella con un feroz embate, y al instante liberaba un verdadero torrente de pasión.

Cuando recuperaron el sentido, Dominique le abrochó los pantalones y esperó a que fuera él quien hablara primero. Armand guardó un largo silencio, apoyando la mejilla contra la de ella, como sumido en un pensamiento profundo, aunque en realidad estaba experimentando emociones de gratitud por el placer que Dominique le había brindado.

–Querida Dominique –dijo al fin–, me parece que me he comportado de un modo abominable contigo. Hemos disfrutado tanto juntos... me pregunto cómo he podido ser tan estúpido para perder de vista eso. Cuando pienso en el pesar que te he causado, estoy desolado. ¿De veras puedes perdonarme?

–Ven a casa conmigo –murmuró ella, con los labios contra su mejilla–. Dejaré que me adores dentro de mis transparentes bragas nuevas para demostrarte que te he perdonado.

Sus amorosas palabras le afectaron tanto que volvió a meterle mano por la falda para asirle el carnoso montículo de la entrepierna.

–Vamos y busquemos un taxi –dijo él–. Pero te advierto una cosa de buena lid: adorarte no me basta. Insisto en hacerte más que eso, mucho más. Y si tus bragas nuevas se estropean por lo que voy a hacerles, te compraré otra media docena.

Enlazados por la cintura, subieron los escalones húmedos hasta el puente, ignorando la lluvia que les mojaba la cara. Armand se alegró de hacer las paces con Dominique, cuya lubricidad era fascinante y se equiparaba a la suya, y a ella siempre le encantaba proseguir cualquier jueguecito que Armand inventara. En cuanto a Madeleine, por hermosa y deseable que fuera, no debe olvidarse que era la esposa de Pierre-Louis, a quien un primo debía cierto respeto.

Para ser justos, hay que decir que Madeleine nunca había negado a Armand el acceso a sus encantos de ciertas maneras, interesantes y algo fuera de lo corriente. Por ejemplo, una noche la convenció para que se arrodillara desnuda sobre la alfombra del salón, luego estaba ese delicioso episodio junto a la ventana. Pero, durante ocho años de matrimonio con Pierre-Louis, se había acostumbrado a cierto estilo de hacer el amor, horizontal y en la cama, y eso era lo que prefería. A Madeleine jamás se le ocurriría llegar a un *rendez-vous* desnuda bajo un abrigo de piel.

Armand pensó que tenía suerte de que Dominique hubiera reaparecido en su vida en el momento oportuno y propicio, dispuesta a perdonar y a olvidar y a continuar su amistad íntima si nada lo impedía. Claro que no se proponía romper con Madeleine, pues de veras la adoraba. Pero distanciaría un poco el tiempo entre sus encuentros para hacer el amor. No dudaba de su habilidad para satisfacerla, aunque Dominique hubiera vuelto a él, pues así interpretaba, erróneamente, los acontecimientos de las últimas veinticuatro horas.

En cuanto a Dominique, la sonrisa de su rostro empapado por la lluvia no significaba nada, ya que comprendía demasiado bien a Armand para engañarse creyendo que había recuperado el control de sus afectos. Como máximo ella había vuelto a tomar las riendas, por así decirlo, y lo había enjaezado junto con la otra media docena de corceles que arrastraban el carruaje. Y así podría mantenerlo un rato, con un ocasional latigazo en la imaginación cuando se pusiera díscolo. Al fin y al cabo, era un hombre generoso y un compañero divertido, siempre dispuesto a idear nuevos modos de satisfacer los deseos de Dominique. En la parada de taxis, ella lo abrazó por la cintura y sonrió.

—El trayecto hasta mi casa no es muy largo, Armand, pero si me desabrocho el impermeable en el taxi y te dejo meterme mano por la falda ¿serás lo bastante listo como para darme otro antojo antes de que lleguemos?

–Puedes estar segura de ello –murmuró Armand.

Mas, ahora que ella le había aliviado del urgente deseo debajo del puente, Armand reflexionaba acerca de la reanudación de sus relaciones sobre una base meramente informal.

Tampoco sospechaba las maquinaciones que tramaba la cabecita rubia de Dominique para beneficiarse económicamente de él antes de que su interés por ella se desvaneciera por completo.

5

El amor tiene su precio

En uno de los famosos cafés del Boulevard Montparnasse, Armand se puso en pie al ver entrar a Suzette Chenet procedente de la calle. Vestía un caro abrigo de vicuña con bocamangas de piel oscura y un pañuelo de seda escarlata y gris atado a la cabeza, al estilo campesina, en lugar de sombrero. Echó un vistazo al café lleno, vio a Armand y se acercó a él.

—*Bonsoir,* Monsieur —dijo, tendiéndole la mano enguantada—. Ahora le reconozco.

Era evidente que esperaba que le estrechara la mano, pero ése no era el estilo de Armand. Le cogió la mano con la misma delicadeza que si fuera un inestimable *object-d'art* en la colección de un experto y se la besó con exquisita cortesía. Ella sonrió brevemente y luego recuperó la expresión seria, aunque era bastante fácil adivinar que le costaba gran esfuerzo, pues la expresión habitual de su bonito rostro era una alegre sonrisa. Se sentó por invitación de Armand, se quitó el animado pañuelo y se echó el cabello hacia atrás; cabello de la textura de la seda delicadamente hilada —pensó él, observándolo de cerca—, de un tono castaño claro, casi rubio.

Como es bien sabido, las primeras impresiones, buenas o malas, son las definitivas. Cuando, hacía seis o siete días, Armand vio por primera vez a Suzette con su primo Pierre-Louis le causó una impresión extraordinariamente buena. Su rostro y su figura conservaban cierta deliciosa redondez, que por desgracia no se estilaba en aquella

122

época de mujeres altas y delgadas, de parcos senos y traseros exiguos bajo la ropa ceñida. Pero en una muchacha de dieciocho años como Suzette esta exuberancia, la tez clara y el fulgor de salud le daban un aire de erotismo devastador.

Se quitó los guantes grises y miró a Armand directamente a los ojos.

–Así que Pierre-Louis no tiene el valor para venir aquí y mirarme a la cara –dijo ella–. Le envía a usted en su lugar, Monsieur. Después de las atrocidades que ha cometido supongo que no debía extrañarme.

–Está absolutamente desolado, créame –respondió Armand–. ¿Qué quiere tomar? Está tan sobrecogido por la vergüenza y el arrepentimiento que se humilla a sus pies. En su amargo remordimiento se siente indigno incluso de hablar con usted.

Al oír su ridícula exageración, Suzette no pudo evitar romper a reír. Pero enseguida volvió a recuperar la expresión solemne. Ahora que estaba cerca de ella, Armand examinaría una cuestión que no había podido resolver satisfactoriamente la primera vez que la vio: el color de sus ojos. Eran de un raro y delicioso color avellana. Se preguntó qué llevaría puesto bajo el maravilloso abrigo. Cuando la vio con Pierre-Louis lucía un vestido de color miel que se ajustaba lo bastante como para exhibir sus generosos senos. Recordaba muy bien cómo la había desnudado en su mente en aquella ocasión.

En respuesta a su pregunta Suzette decidió tomar una copita de licor –como protección contra el frío, naturalmente– y se decidió por un Benedictine. Armand pidió el licor y otra copa de Armagnac para él. Por sugerencia de él, Suzette se quitó el precioso abrigo invernal y Armand pudo ver que vestía con mucha sencillez una blusa de satén color crema y una falda de un dibujo a cuadros grises y rojos parecida al pañuelo de la cabeza. Le sonrió complacido en secreto y ella le devolvió la sonrisa, olvidando que estaba allí para representar el papel de ofendida.

Poco podía sospechar que la fértil y monomaníaca imaginación de Armand la estaba desnudando, y no por primera vez. Mentalmente desabrochaba los botones de la blusa y le besaba los turgentes senos. Se puso en pie para cogerle el abrigo y le contempló el escote, y su fantasía hizo desaparecer la falda, para revelar unos muslos bien torneados y unas bragas con puntillas.

«¡Rojo intenso! –dijo para sí–, ¡ése es el color del que me gustaría que fueran... y de satén brillante!»

Aunque bastantes hombres se engañan a sí mismos creyendo que sus pensamientos más íntimos son secretos para todo el mundo, a Suzette le resultaba bastante fácil adivinar lo que estaba pensando. Por joven que fuera, tenía la intuición infalible con la que nace toda mujer. No era necesario machacarse la sesera para interpretar correctamente el interés de Armand en la blusa y la falda, o más bien, en los encantos que éstas ocultaban. Sonrió un poco, como para sí, y cruzó las piernas bajo la mesa, no por alarmado pudor ni para protegerse de sus ojos escrutadores, sino para advertir a Armand que se requería más que unas cuantas miraditas y unas palabras de admiración.

–Pierre-Louis se humilla a mis pies ¿no es cierto? Me gustaría mucho verle arrodillado ante mí y en un lugar público. La Place de la Concorde a mediodía sería un buen sitio... Insisto en ello como parte del acuerdo.

–¿Desea herirlo y humillarlo hasta tal punto, Mademoiselle? –dijo Armand–. Debe de haberla tratado abominablemente mal para despertar en usted sentimientos tan intensos. Qué puedo decir..., le aseguro que no tenía ni idea de semejantes deficiencias.

–¿Deficiencias? No tiene ni idea de las atrocidades físicas que me ha infligido.

Pronunció la palabra «atrocidades» con tal énfasis que era evidente que disfrutaba empleándola para describir su infortunio.

–Pero esto es terrible –dijo Armand en tono sincero y colmado de compasión–. ¿Se atreve a contármelo o el recuerdo es demasiado terrible?

–¡Me violó! –dijo con dramatismo–. Me golpeó y me escupió. ¿Puede creer eso de su primo o piensa que le miento por malicia? Me arrojó al suelo con todas sus fuerzas... creí ser pisoteada hasta la muerte.

–¡Santo Dios! –exclamó Armand, y, al ver brillar en sus ojos lágrimas de vergüenza y rabia ante el recuerdo, le cogió la mano por encima de la mesa para consolarla–. El látigo sería poco para él. Pero lo enmendará como pueda y yo estoy aquí como prueba de ello. Por difícil que sea, le insto a que olvide este horrible recuerdo y reanude su vida, llena de la esperanza y la confianza de la juventud y la belleza que de modo natural la agracian.

–Es usted muy comprensivo –suspiró Suzette, dejando que su tibia mano descansara ligeramente en la de él.

Fue necesario sacar a colación que había sido la amante de Pierre-Louis durante casi un año antes del lamentable incidente que había puesto fin a su amistad íntima. Y, aunque no cabía duda de que Pierre-Louis era por naturaleza demasiado impulsivo y proclive a cometer actos imprudentes, acusarlo de tentativa de homicidio parecía un poco exagerado. Al cotejar el relato de los desgraciados acontecimientos con los de Pierre-Louis, Armand llegó a la conclusión de que, Suzette estaba inflando, para sus propios fines, el alcance y la magnitud de sus sufrimientos. Y Pierre-Louis por su parte, y para minimizar su culpabilidad, había desmesurado la provocación y quitaba importancia al resultado de su pérdida de control.

–Me resulta imposible imaginar cómo alguien, ni siquiera un loco, puede abusar de tan deliciosa y encantadora criatura –le dijo–. Si me permite hablarle con franqueza, de haber estado en el lugar de mi primo, mi único impulso habría sido abrazarla con ternura y llenarle los labios de dulces besos.

–¡Ah!, ya veo que usted y él tienen naturalezas muy distintas –murmuró ella–. ¡Peor para mí que he conocido al primo equivocado! ¿Ha traído el dinero?

–Claro.

Armand sacó del bolsillo interior de la chaqueta un grueso sobre sellado con el dinero del chantaje y se lo enseñó.

–Esto no es suficiente, como usted comprenderá –dijo Suzette con tristeza–, nada bastaría para compensar mis sufrimientos. Pero como pequeño símbolo de arrepentimiento por parte de él...

–¡Nuestra forma de pensar es tan parecida! –exclamó Armand–. Ha repetido exactamente lo que le dije a Pierre-Louis cuando me pidió consejo. Le dije que no había suficiente dinero en toda Francia para recompensar a la hermosa e inocente víctima de su brutal ferocidad.

–¿Eso dijo? –dijo Suzette respirando hondo, arrastrada por un momento por la aparente vehemencia de las emociones de Armand.

–Esto que quede entre nosotros, entre usted y yo –continuó, apretándole la mano con delicadeza–. Le ofrezco este insuficiente, aunque importante, símbolo del sincero arrepentimiento de Pierre-Louis.

Le tendió el sobre y ella lo sopesó en la mano un momento, como si calculara el valor de su contenido. Armand esperaba que abriera la pestaña, pero en cambio, rasgó un extremo del sobre y pasó un pulgar con la uña pintada de rosa sobre el extremo del grueso fajo de billetes de banco que contenía. Armand le miraba el hermoso rostro secretamente encantado, fijándose en el momento de codicia y el momento de satisfacción que le iluminaron el semblante. Tal y como se lo insinuó al verla entrar por primera vez en el café y al recibirla en la puerta, Armand estaba firmemente resuelto a poseerla.

–A cambio de su cortés aceptación de este símbolo del arrepentimiento de Pierre-Louis –dijo, haciendo un gesto hacia el sobre que Suzette sostenía en las manos–, él se niega a sí mismo el placer de volver a verla. Debe descartar la más mínima sugerencia de implicar a las autoridades en este penoso asunto y jamás debe volver a mencionarlo. Y aunque perdone sus viles acciones aceptando lo que yo le entrego en su nombre, usted continuará castigándolo al no volver a ponerse jamás en contacto con él. ¿Está de acuerdo en eso?

–Del todo –respondió Suzette sonriendo por la manera eufemística en que había expresado las duras condiciones a las que había obligado a Pierre-Louis bajo la amenaza de denunciarlo a la policía por violación y agresión.

Para ser exactos, desde la primera vez que la vio en el Café de la Paix, en la mente de Armand –si ése es el lugar del organismo humano donde se forman tales deseos– nació un fuerte deseo de gozar de Suzette. Recordaba perfectamente lo que le había dicho a Pierre-Louis esa noche, cuando hablaron de la posibilidad de que Madeleine regresara con su esposo: «Como es natural nunca he tenido el honor de hacer el amor a ninguna de las dos damas, pero no puedo creer que tu amiga sea tan excitante como tu esposa». Claro que no era cierto, pues esa misma velada Armand había hecho el amor a Madeleine varias veces. Y ahora parecía que se presentaba la oportu-

127

nidad de probar también los encantos de Suzette y ponerse en la misma situación que Pierre-Louis para comparar.

Hizo un gesto al camarero, pidió más bebidas y buscó el modo de congraciarse con Suzette, empleando para ello toda su considerable habilidad. La dimensión de su éxito se podía juzgar por el hecho de que, en menos de una hora, tenía el honor de escoltarla hasta la cercana Rue de Varenne, en donde vivía. Como es natural, si el deseo no hubiera ocupado por entero su atención, se le podía haber ocurrido que una damita capaz de sacar a su primo tan enorme suma de dinero con tanta facilidad y eficacia, debía estar tramando también planes para él y que el éxito de la seducción se debía más a las intenciones de Suzette que a su propio indudable encanto.

Le condujo hasta un apartamento de un edificio raramente bien conservado, con patio interior, que se encontraba en el caro primer piso y no bajo el tejado como era de esperar. Al entrar Armand se sorprendió aún más del modo en que estaba decorado y amueblado; ¡si Pierre-Louis había estado manteniendo a su amiguita de tal guisa, debía haberle costado una pequeña fortuna! El contenido del sobre, aunque en un principio a Armand le pareció excesivo, ahora resultaba una ganga.

Mientras Suzette sacaba una botella de coñac, Armand aprovechó la oportunidad para mirar los cuadros del salón. A primera vista le parecieron reproducciones, pero una inspección más minuciosa reveló que eran obras originales de artistas contemporáneos bastante famosos. Se percató con interés de una característica: todos los cuadros eran de mujeres, incluido el desnudo recostado del famoso cubista Juan Gris. Era una caricatura moderna en color verde bilioso de una criatura deforme con enormes y cuadrados pechos y caderas, una mancha púrpura allí donde las mujeres reales tienen un velloncito de rizos marrones o rubios.

Es posible –pensó Armand– que la visión del artista hubiera sido original y vital –la percepción de un mundo distinto al mundo real de hombres y mujeres–, pero el cuadro resultante era sencillamente ridículo para una persona con el exagerado amor de Armand por las voluptuosas curvas de las mujeres y por la textura de su carne. No obstante, sabía que el cuadro valía mucho y ese hecho era impresionante. Le pareció más interesante, cuanto menos porque mostraba a una figura menos distorsionada, un dibujo a pluma de Georges Rouault de una puta desnuda poniéndose las medias. Tenía el rostro adusto y los pechos y el cuerpo poco agraciados de todas las prostitutas de Rouault –una manifestación típica de su desesperación y su ira–, pero, deseable o no, al menos era una mujer reconocible.

A juicio de Armand, la indudable *chef-d'oeuvre* de la pequeña colección era un cuadro de Pierre Bonnard que colgaba sobre el sofá en la pared opuesta a la ventana. Era una vista de París a través de la ventana sin cortinas de un piso alto, un paisaje de tejados y calles a la amable luz del sol. Mirando por la ventana, de espaldas al espectador, se hallaba una mujer de pie y desnuda, es decir, desnuda a excepción de unos zapatos rojos. La sólida carne del trasero y los muslos indicaban la opulencia de la figura; si se diera la vuelta, Armand lo sabía por instinto, mostraría unos pechos generosos y redondos y un vientre en forma de cúpula.

Pero, sin más premisas, fue la postura de la desconocida en la ventana la que atrajo el interés de Armand con tanta fuerza que le asaltaron reminiscentes temblores de placer. El cuadro le recordaba la noche en que Madeleine permaneció de pie en la ventana de la casa

129

de su hermana, con el esbelto y elegante cuerpo cubierto sólo por un finísimo camisón a través del cual los dedos de Armand recorrieron la lisa carne de los senos. En la oscuridad, él levantó la delicada gasa para desnudarle las nalgas y apretar el vientre contra ellas mientras la penetraba.

La imagen afectó tanto a Armand que su noble amigo le llamó la atención con tres fuertes tirones. Suzette, que entraba en la sala con una botella en una mano y dos copas en la otra, le sorprendió contemplando el cuadro de Bonnard y reconoció la expresión de su rostro. Bajó la vista y automáticamente vio la inequívoca hinchazón en los pantalones de su traje azul oscuro.

—Ah, veo que es usted un conocedor del arte moderno —dijo con una sonrisita burlona—. Todo el mundo admira ese cuadro, pero no con tan fervorosa apreciación como usted.

En cuanto se acercó a él, Armand la abrazó por la cintura y la besó. Ella se quedó de pie con los brazos torpemente extendidos a los costados, estorbados por el coñac y las copas, y se puso a reír.

—Muy bien entonces —dijo ella cuando acabó el beso—. Sólo por esta vez... pues el caso es tan desesperado. Pero no crea que tengo la costumbre de compadecerme de extraños.

Le condujo a su dormitorio decorado en colores marfil y amarillo verdoso, dejó las copas y la botella y se volvió hacia él, poniéndole las manos sobre los hombros. Sin pronunciar palabra, él le desabrochó los botones de la blusa de satén crema, precisamente igual que había hecho en su imaginación hacía una hora en el café. Pero en su fantasía los pechos turgentes se habían derramado de inmediato en sus manos ávidas, mientras que en el cómodo dormitorio aún permanecían ocultos a sus ojos tras una combinación rosada de crespón de seda. Armand los palpó a través de la fina combinación, buscando los pezones con las yemas de los dedos y excitándolos hasta una firmeza que se concretó en dos deliciosas y pequeñas cumbres.

Mientras Armand se ocupaba en esa excitante tarea, Suzette se desabrochaba la falda roja y gris y la dejaba caer por encima de las caderas y las piernas. Fue entonces cuando Armand vio que lo que había tomado por una combinación era en realidad un corpiño, ceñido elegantemente al cuerpo para modelar sus redondeces, con una rosa bordada de color carmín y tamaño natural, sobre la rosada seda por encima de la cadera izquierda. Una vez más le sorprendió que una muchacha tan joven pudiera pagar una prenda de tal calidad y tan costosa. Si Pierre-Louis representaba su única fuente de ingresos, se había gastado un dineral en ella.

Pero ése no era el momento para la vulgar especulación materialista sobre el precio del mobiliario y la ropa. Suzette se desabrochó el corpiño tan a la moda y se inclinó para quitarse las medias de seda, girándose deliberadamente de modo que la suave y redonda grupa sobresalía contra él. De inmediato Armand avanzó para acariciar las nalgas de piel sedosa que se presentaban ante él y Suzette se echó a reír cuando los dedos encontraron el carnoso albaricoque de su entrepierna y lo acariciaron. Antes de que pudiera prolongar la exploración de sus encantos, ella había retirado la colcha y se tendía sobre la sábana marfileña.

Armand la devoró vorazmente con los ojos mientras se desnudaba. Suzette estaba tumbada a su lado, de cara a él, apoyada sobre un codo, con los ojos brillantes y ansiosos de placer. Tenía las piernas estiradas y cruzadas a la altura de los tobillos y el color de la escasa mata ensor-

131

tijada donde se juntaban los muslos era tan distinto del tono rubio de su cabello como para resultar extrañamente excitante. Mantenía los muslos cerrados, de manera que parecían una gran réplica de los labios que se ocultaban entre ellos.

«No es que Suzette esté hecha para los placeres de las largas y tiernas jodiendas», pensó Armand, mientras se arrojaba a la cama y le agarraba los pechos. No era Madeleine, a la que cortejar con repetidos besos y caricias hasta una primorosa penetración y una lenta cabalgada hasta la cima de la sensación. Ni tampoco era Dominique, a la que excitar con dedos perversos hasta múltiples orgasmos antes de empalarla sin piedad con su empedernido instrumento. Al menos ésta era la opinión de Armand sobre los encantos del hermoso cuerpo de dieciocho años que tenía ante él, resplandeciente de la vitalidad y la lozanía de la juventud.

Desde el momento en que puso los ojos en ella, el deseo viril le decía que Suzette era como una fruta madura y suculenta –un melocotón, un albaricoque, una nectarina– rebosante de dulzura para ser devorada. Pronto descubrió que Suzette era de la misma opinión: se tumbó de espaldas en cuanto la acarició, le cogió la aleteante rigidez y la atrajo hacia ella, con las piernas muy abiertas para ofrecerse con ilimitada generosidad. Armand estaba tan excitado por sus caricias que era como si delirando se hubiera deslizado sobre ella y sentía el cálido vientre desnudo contra el suyo.

Suzette tenía la mano entre ambos cuerpos, sujetándole y guiándole rápidamente hasta su blando recinto, tan húmedo y preparado para él como si llevara media hora jugando con ella, se percató cuando la perforó de una fuerte acometida. Con las manos amasaba los carnosos senos mientras se deslizaba hacia adelante y hacia atrás con la fuerza e inexorabilidad del pistón gigante de un tren expreso lanzado a toda velocidad por la vía. Suzette gemía de placer y se sacudía debajo de él: la cabeza levantada sobre la almohada de satén, la barbilla apuntando hacia el techo y la boca abierta enseñando los afilados dientecillos.

Suzette estaba despatarrada de ardiente deseo sobre la sábana de satén, con las piernas tan abiertas como podía, mientras su vientre cálido recibía los embates del vientre de Armand. Le clavó fuerte los dedos en la carne de los hombros y levantó bruscamente la cabeza de la almohada con la boca abierta en busca de la de Armand para meterle la lengua húmeda y chispeante. En su febril excitación Armand tuvo la sensación de que el vientre de Suzette se abría aún más, para permitirle llegar hasta sus profundidades, y al cabo de un momento, en un *crescendo* de gritos quejumbrosos, arqueaba la tensa espalda, levantando su peso sobre ella.

Luego se desplomó debajo de Armand, ladeando la cabeza sobre la almohada, mientras él la barrenaba sin piedad. Suzette se contoneaba debajo de él, gimiendo un poco, luego se aferró a sus hombros de nuevo y con la boca abierta y ardiente le tapó la suya y se la chupó. Armand le había soltado los pechos para deslizar la mano por debajo y agarrarse a las carnosas nalgas. Suzette empezó a mover las caderas hacia arriba para ir al encuentro de sus embestidas, gritando sin palabras en la urgente necesidad de liberar el atormentador placer que la tenía presa.

Armand jadeó al notar que se acercaba el momento culminante, avanzaba tan rápido y con tanto ímpetu que nada podía detenerlo. Arremetió rápido y hondo en la lubricada calidez de Suzette, el vientre chocaba brutalmente contra el de ella, y no podía oír los gritos de éxta-

133

sis de la muchacha debido al ensordecedor rugido que en sus oídos provocaba la potente locomotora que trepidaba hacia él, con sus poderosos pistones hundiéndose en los cilindros para acelerar por los resplandecientes raíles de acero.

Esta fuerza titánica había sido lo bastante compacta para caber dentro de su vientre cuando por primera vez fue consciente de ella, pero, al acercarse a toda velocidad, crecía y crecía de tamaño hasta que fue mucho mayor que él, mucho mayor, mayor incluso que el lecho donde él y la muchacha yacían, mayor que el mundo entero, mayor que el universo. Cuando le golpeó, era más rápida que la velocidad de la luz. El impacto lo destruyó por completo, lanzándolo en mil pedazos a la oscuridad exterior. Le pareció oírse gritar, pero era imposible, pues ya no existía.

Cuando por fin se recuperó, Suzette yacía relajada e inmóvil debajo de él, con el vientre húmedamente pegado al suyo, debido a la mezcla de los sudores. Al salir de ella, Suzette abrió los ojos de avellana y le sonrió.

–Ha sido increíble –le dijo–. Estoy sorprendida.

Armand sirvió dos copas de coñac de la botella que estaba sobre la mesilla de noche y ahuecó la almohada debajo de él, incorporándose hasta quedar medio sentado, poniéndose cómodo. Suzette se dio media vuelta hasta mirarle a la cara, apoyando la espalda en los pies de Armand, con un brazo sobre el vientre de éste, ya fuera para sujetarse o como una especie de declaración de propiedad. Esta postura le permitía mostrar los generosos pechos de pezones carminosos, tal vez por casualidad, tal vez intencionadamente. Sus torneadas piernas dobladas descansaban una encima de la otra, de modo que los talones tocaban su posaderas y sólo con mirarla se percibía los rizos de albaricoque entre los muslos.

Cogió una de las copas que Armand le tendía y bebió un poco de coñac. Como es natural, ahora que lo había admitido en la intimidad quería saberlo todo sobre él: ¿estaba casado?, ¿dónde vivía?, ¿de qué vivía?, ¿en qué mataba el tiempo? Le hizo estas preguntas y algunas más de la manera más aduladora, de modo que fue un placer para Armand contestarlas. Y cuando tuvo la información que deseaba, le contó un poco sobre ella: que había nacido en Ivry-sur-Seine, que su padre trabajaba para los ferrocarriles y le pegaba cuando bebía demasiado, que se fue de casa después de que su madre muriera y llevaba casi un año viviendo en París.

Nada de eso explicaba cómo había llegado a vivir en circunstancias más que cómodas. Armand abordó la cuestión con mucho tacto preguntándole sobre los cuadros del salón —por qué los había elegido— y no le sorprendió saber que no eran de Suzette. Ni tampoco el apartamento —le dijo—, pertenecía a una amiga que la había invitado a quedarse hasta que encontrara un lugar propio. Armand le preguntó el nombre de la amiga, interesándose por una mujer que compraba cuadros de artistas muy cotizados.

La amiga se llamaba Fernande Quibon, dijo Suzette, pero ella no había comprado los cuadros, se los había regalado un admirador como inversión al igual que otros hombres regalan a sus amigas diamantes a modo de una inversión para el futuro que mientras tanto les proporciona placer.

—Pero ¿Mademoiselle Quibon no preferiría que le regalaran diamantes? —preguntó Armand, divertido por la historia.

—Madame Quibon —le corrigió Suzette—. Su marido murió luchando valerosamente contra los «boches» en Verdún y le dieron la cruz de guerra cuando fue enterrado.

Fernande ya tiene bastantes joyas. Su amigo le regala cuadros porque ése es su trabajo. Es el propietario de una galería en la Rue de Rivoli.

Armand conocía la galería y siempre que tenía ocasión de pasar por delante miraba para ver la obra nueva que estaba en exposición. Había comprado cuadros allí, aunque su gusto se aproximaba más al estilo tradicional que al cubismo, dadaísmo, fauvismo, futurismo, sinteticismo, vorticismo, surrealismo o cualquiera de los otros «ismos» de moda en su día. Conocía la identidad del generoso admirador de Madame Quibon: el propietario de la galería en cuestión era Marc Leblanc, un hombre mayor, de gran encanto y distinción y con un conocimiento prodigioso de arte. El hecho de que tuviera una amante a su edad –seguramente estaba más cerca de los setenta que de los sesenta– era algo encomiable, en opinión de Armand.

Tras asegurarse, para su completa satisfacción, de que, además de demostrar ser un amante vigoroso, Armand poseía una renta suficiente como para cuidarla al menos tan bien como Pierre-Louis, y quizá mejor, pues no tenía esposa de gustos caros que mantener, Suzette llegó a la conclusión de que resultaría un útil sustituto de su primo. Empezó por sugerirle que la llevara a cenar y luego a algún lugar de moda a bailar y él consintió presuroso. Para entonces ya había recuperado el aliento, por así decirlo, y acariciaba los lozanos senos que se exhibían cerca de él de modo tan tentador.

–¿Cómo puede ser –preguntó Armand en voz baja– que mi primo pegara estos encantadores pechos con el puño? Es evidente que sufría una enajenación transitoria... no cabe otra explicación.

–Es cierto –dijo Suzette–. Durante días tuve morados tan grandes como tu mano. Aunque ya han desaparecido aún puedes ver débiles marcas azuladas si los miras con detención.

Armand no necesitó una segunda invitación para examinar sus tesoros, ni la hubiera necesitado ningún otro hombre que yaciera desnudo con ella en su mullido lecho. Se sentó y la acunó en los brazos, acercando la cara a los enjundiosos objetos de su deseo y buscando con atención algún rastro de los desaparecidos moretones que Pierre-Louis le había infligido en la inmaculada piel. Huelga decir que no halló ninguno pues nunca los había habido, pero eso carecía de importancia. En el proceso de escrutinio Armand se embelesó tanto que apretó la punta húmeda de la lengua contra el pezón que tenía más cerca. Y cuando éste se puso de puntillas orgulloso, dedicó sus atenciones al otro.

–Es maravilloso ser tratada con tanta cortesía, después de las brutalidades de cierta persona –suspiró Suzette.

–Y aquí, en este elegante vientrecillo, ¿fue aquí donde tuvo la criminal audacia de escupir? –exclamó Armand, amasando la carne cuidadosamente, con mano algo temblorosa.

–Aterrizó justo aquí –dijo ella, cogiéndole la mano y guiándosela hasta que los dedos tocaron un lugar a la derecha del ombligo y justo encima del pequeño vellón de color albaricoque.

–¡Deberían encerrarlo en un hospital para psicópatas incurables! –exclamó Armand, abriéndose camino con los dedos desde la sede de la ofensa hasta los rizos.

Dadas las circunstancias íntimas, Armand esperaba que Suzette se abriera de piernas y le dejara acariciar el jugoso melocotón dividido que se encontraba entre ellas. Deseaba usar sus hábiles dedos para remontarla hasta el pináculo mismo de la sensación y luego ayudarla a bajar hasta la liberación orgásmica. ¡Entonces sabría que de veras la había poseído! Pero Suzette se apartó de él, hasta quedar boca abajo sobre la cama, con los pechos planos contra el muelle colchón y el rostro encima de su henchido orgullo. Lo cogió en la mano y comprobó su fuerza con un estrujoncito.

–Muy impresionante, pero después de la devastación a la que me has sometido, estoy demasiado exhausta para permitir que me lo hagas otra vez. Veo que no tienes necesidad de golpear a una mujer con los puños, la golpeas hasta la sumisión con esto.

–Pero debes permitirme enmendar con honor la crueldad de un miembro de mi familia al que desprecio por sus dementes acciones –murmuró, agarrando en la mano las turgentes nalgas–. Te doy mi palabra de que te haré el amor con tanta delicadeza que estarás encantada.

Una vez convencida –como si una joven dama de su experiencia necesitara ningún convencimiento–, depositó un breve beso en la cabeza púrpura de su palpitante miembro y se dio la vuelta para demostrar que se ofrecía a sí misma con una confianza implícita. Absolutamente encantado por el gesto, Armand la tomó en brazos y la llenó de besos, desde la frente hasta los dedos de los pies, sin olvidar parte alguna entre ambos. Suzette suspiró lascivamente, se abrió un poco de piernas y dejó hacer a su antojo. Y así las cosas siguieron su curso natural hasta que al fin, después de cien caricias repetidas, Armand montó sobre el suave vientre de Suzette y se envainó en su húmeda calidez.

Suspiraba de placer sin cesar cuando empezó a imprimir un ritmo constante a sus embates. Pero, al cabo de una docena de fuertes embestidas, las manos de Suzette se le aferraron a los hombros y abrió los muslos al límite sobre la sábana de satén. Clavó las uñas en la carne de Armand mientras jadeaba:

—¡Más fuerte, Armand, más fuerte!

Y así, lo que había comenzado con minuciosa delicadeza, debido a la urgente demanda de Suzette, se transformó en otra violenta devastación. Armand la barrenaba una y otra vez furiosamente en su cálida viscosidad, como si intentase saquear todos sus tesoros en un acto desesperado de piratería.

Y Suzette, su víctima entregada hasta la muerte, le arañaba la espalda y se retorcía debajo de él como si estuviera sufriendo los estertores de un ataque. Clamaba a voz en grito en su delirio, besándole frenéticamente y susurrando su nombre una y otra vez. Las piernas abiertas de Suzette se enredaron en las de Armand, golpeándole con los pequeños talones. Luego los sudorosos muslos se ciñeron en torno a él y con todas sus fuerzas intentó hundirlo más hondamente en su vientre. Todo el cuerpo de Armand temblaba al notar avecinarse el momento de la verdad. Tuvo el tiempo justo para pronunciar el nombre de la muchacha antes de sacudir violentamente la cintura y que a ambos les sobreviniera el éxtasis.

—¡Uf! —dijo ella, al recuperar el habla—. Me haces cosas que no me esperaba. Me vuelves loca.

Armand se separó de su cuerpo caliente y se tumbó para mirarla.

—Hay algo en ti que me hace actuar como un salvaje de la selva —dijo él, sorprendido por sus propias acciones—. No sé lo que es, Suzette, pero seguramente nos mataremos de amor si seguimos así.

—¿Y eso te asusta? —le preguntó, recorriendo con los dedos las gotitas de transpiración que habían quedado prendidas de los rizos oscuros de su pecho.

—¡En lo más mínimo!

—Bueno, entonces un día Fernande nos encontrará muertos juntos en esta cama —dijo con una sonrisa—. Yo estaré tumbada con las piernas muy abiertas y tú estarás encima de mí, con la tranca aún en mi interior, y ambos habremos muerto en el mismo instante, transportados en un destello por la intensidad de nuestros orgasmos.

Armand se echó a reír, pero el ejercicio le había dado hambre y le recordó que le había prometido ir a cenar y a bailar con él.

—Sí, pero hoy no —fue su inesperada respuesta, como si se tratase de una Josefina rechazando las proposiciones de su emperador.

Resultó que deseaba que la llevara a almorzar al día siguiente, para que le diera su opinión sobre unos conjuntos muy elegantes de ropa interior que había visto en una tienda, ahora que tenía el regalo de Pierre-Louis para gastar.

«Sólo tiene dieciocho años y ya domina las artimañas mundanas —pensó Armand divertido—. Es evidente que su amiga Madame Quibon es una buena maestra.»

Sabía que Suzette no tenía la menor intención de gastar su dinero, ése sería el privilegio de Armand. Él sonrió, se encogió de hombros y le dijo que estaría encantado de llamarla a la mañana siguiente a eso de las once. Y si en una de las tiendas exclusivas que sabía que visitarían, por casualidad encontraba a Dominique con algún otro de sus admiradores, tanto mejor, había sido algo exigente desde su última reunión y verle con otra mujer le recodaría que, por muy adorable que fuera, ella no era el único interés de su vida.

A la media hora de la marcha de Armand, Suzette estaba dándose un suntuoso baño, disfrutando de la relajación del agua caliente y la espuma de una cara esencia de baño que colmaba el aire del delicado aroma primaveral de las flores salvajes que crecen bajo los altos árboles del bosque. Volvió la cabeza al oír abrirse la puerta del apartamento y luego la voz de Fernande gritar su nombre.

–Estoy aquí –le respondió perezosamente.

Hubo una pausa de uno o dos minutos y luego su amiga entró en el baño.

Fernande Quibon era una mujer delgada y esbelta de mediana estatura, aspecto y movimientos muy elegantes, de rostro aún terso, figura airosa y cabello negro como el azabache, aunque nunca volvería a tener treinta y cinco años. Se había quitado el sombrero y el abrigo al entrar en casa y se presentó en la puerta del baño vistiendo un vestido de Paquin, de manga tres cuartos y tafetán color lima con un dibujo de pálidos círculos anaranjados que se entrelazaban. Pero, en contraste con la viveza de sus ropas, su boca presentaba una mueca de sombría desaprobación.

–¡De modo que lo has traído aquí! –le dijo acusadoramente–. No te molestes en negarlo... he estado en tu habitación y he visto la botella y las copas cerca de la cama. ¿Por qué lo has traído aquí... responde?

–¿Por qué no? –respondió Suzette con normalidad–. Me trajo el dinero de Pierre-Louis. Pensé que eso bien valía una copa.

–¿En tu dormitorio? –exigió Fernande.

Suzette encogió los hombros desnudos de un modo encantador. Inmersa en el agua perfumada, los carnosos pechos asomaron sobre la superficie como un par de islotes rosados inimaginablemente tentadores en los tropicales mares del sur, cada uno con su redondeada cima carminosa. El movimiento de los hombros sacudió las islas, como si el lecho del mar sufriera un terremoto y enviara olas cada vez más grandes. Fernande contemplaba fascinada y se ablandó la severa expresión de su rostro.

141

—Bueno, a lo hecho pecho —dijo con un suspiro—. Te ayudaré a lavarte el salvaje olor a macho.

Cerró la puerta del baño y avanzó hacia el cuarto.

—No hay necesidad —dijo Suzette—. He terminado... estaba a punto de salir del baño cuando te oí llamarme. No te acerques, se te estropeará el vestido si se salpica.

—Quédate un momento —dijo Fernande, con el rostro soñador de placer—. Insisto en ayudarte.

En un segundo se libró del bonito vestido de tafetán y lo dejó sobre el lavabo al otro lado del cuarto. Se quitó la combinación y, en sostén y bragas de encaje blanco, se arrodilló junto a la bañera y alcanzó la pastilla oval de jabón.

—Aún conservas los rastros del vil bruto como si fueras una virgen mártir violada por animales salvajes en un circo romano —murmuró y Suzette se echó a reír.

—¡No te rías! —le advirtió Fernande—. Yo siempre me lavo después de estrechar la mano de un hombre... aunque lleve guantes.

—Pero tú eres la que ha estado casada, no yo —dijo Suzette—. ¿Tu marido llevaba guantes en la cama para tocarte?

—Yo era sólo una niña, apenas mayor que tú, cuando mi familia me casó —suspiró Fernande—. ¿Qué sabía yo de los insensatos deseos de los hombres? Noche tras noche yacía paralizada de terror mientras él me trajinaba. Siéntate, querida.

Suzette sonrió y se sentó en el agua caliente y perfumada. Fernande se quitó sus múltiples anillos de diamantes, esmeraldas, rubíes y oro, y los dejó en la jabonera como si fueran imitaciones baratas en lugar de valiosos recuerdos de pasadas asociaciones con miembros de la despreciable raza masculina. Frotó el jabón hasta formar una espuma cremosa entre las palmas y se entregó a la ta-

142

rea de lavar los pechos de Suzette, abarcando con las manos tiernamente la carnosa plenitud.

–Tienes unos pechos tan hermosos, Suzette –suspiró–. ¿Por qué dejas que los hombres los manoseen? Sabes que los hombres son toscos, descuidados y primitivos... brutos peludos sin la menor sensibilidad. Debes negarte a someterte a sus apetitos animales o deformarán estos tiernos pechos por completo y los volverán fofos y fláccidos. Si sigues con los hombres, antes de los treinta estos soberbios orbes serán globitos medio deshinchados que te colgarán hasta los codos y cuando tengas mi edad serán sacos que te llegarán al vientre.

Suzette se rió con incredulidad, con los ojos avellana entornados, mientras los sensibles dedos de Fernande le acariciaban los lozanos pezones rojos hasta ponerlos firmes, apuntando orgullosamente hacia arriba.

–Tan delicados, tan delicados –murmuró Fernande–. Escúchame, hazme caso cuando te digo que no hay hombre en todo el ancho mundo capaz de apreciar la belleza de unos senos como los tuyos.

–Pero seguramente Monsieur Leblanc te toca los tuyos cuando vas a visitarle, ¿no, Fernande? Y no veo en ellos evidencia ninguna de flaccidez.

–No, le dejo mirarlos todo lo que quiere, pero no tocarlos –suspiró Fernande.

El agua caliente había dado a los redondos pechos de Suzette y a toda su joven y lisa carne, desde la nuca a los pies, un tono rosado que no basta con describirlo como encantador. No, era más que encantador, era positivamente tentador. Fernande besó los hombros mojados de su amiga, oliendo el perfume de la esencia de baño en ellos, mientras jugaba con Suzette y suspiraba de placer.

–¿Ya te has librado del olor a hombre por mí? –le preguntó Suzette con voz seductora–. ¿O está tan entreverado en mi piel que deberé bañarme en desinfectante?

–De estas dos bellezas, sí, se ha ido, ¡gracias a Dios! –respondió Fernande–. Pero en cuanto al resto... apenas me atrevo a pensar en lo que esa bestia de hombre te ha hecho, mi pobre niña. Pero debemos tener valor. Arrodíllate y déjame comprobar lo peor.

Puso los brazos desnudos alrededor del cuerpo mojado y resbaladizo de Suzette, y la ayudó a salir del agua, de manera que era más un amoroso abrazo que otra cosa. Dobló las piernas y se puso de rodillas. Con manos temblorosas por la fuerza de las emociones, Fernande cogió el jabón y lo frotó con cuidado por el vientre curvo de Suzette y luego, con la palma desnuda, dio masajes alrededor del hundido ombligo de su querida amiga. La mano trazaba un lento movimiento circular, en círculos cada vez de mayor tamaño, hasta que Suzette estuvo blanca de espuma perfumada, desde los senos hasta la ingle.

Al cabo de un rato, el movimiento continuado hizo que uno de los tirantes del sostén de Fernande se le resbalara por el hombro. La delicada copa de encaje se derrumbó de repente para revelar un pecho pequeño y admirablemente firme y apuntado para una mujer de treinta y siete años. Al verlo salir como si requiriera su atención, Suzette se volvió ligeramente, con las rodillas bien abiertas bajo el agua del baño, hasta que alcanzó el sostén de su amiga y bajó la copa de encaje del todo para desnudar el pecho entero. Cogió el pequeño pezón rosado entre el pulgar y el índice y lo hizo rodar con delicadeza.

–¡Ah, si haces eso me distraerás y no te lavaré adecuadamente! –exclamó Fernande.

–Son tan distintos los tuyos de los míos –dijo Suzette, ignorando la queja–. Aunque yo casi soy veinte años más joven que tú, los míos son redondos y gruesos y tienen grandes pezones cárdenos, y los tuyos son apuntados como peras y tienen unos pezoncillos rosa que apenas sobresalen cuando los enderezo.

Fernande gimió bajito y su mano abierta bajó por la curva del vientre de Suzette hasta los rizos empastados y húmedos contra el suave declive de sus muslos y se aferró a él.

—Suzette —suspiró—, a pesar de todo lo que te he dicho desde que has venido a vivir conmigo, aún no comprendes lo especial que eres, *chérie*... o nunca, ni por un instante, permitirías que la asquerosa y repugnante mano de un hombre anduviera cerca de este precioso *bijou*.

Sus dedos lubricados con espuma abrieron los mohinos labios de la entrepierna sedosa de Suzette y se insertaron tiernamente.

—¡Qué estas haciendo ahora! —exclamó Suzette con fingido asombro—. Una cosa es ayudarme a bañarme, pero esto... esto es inexcusable.

—Intento hacerte comprender por qué tu querido *bijou* es tan especial —dijo Fernande jadeando.

—Pero ya lo he comprendido —dijo Suzette arteramente—. Me lo has dicho cientos de veces... y te creo. Como mi *jou-jou* es tan especial exige ser admirado... y seguramente el buen Dios puso a los hombres guapos y jóvenes en la tierra para tal propósito.

—No, te equivocas —exclamó Fernande agitada—. Los hombres son estúpidos, crueles y carentes de sentimientos. Abusarán de tu tesoro, lo violarán, lo estropearán, lo destruirán. Claro que el querido bocado exige constante admiración, *chérie*... y yo estoy aquí para besártelo hasta que se harte y desee descansar.

—El hombre que me trajo el dinero de Pierre-Louis, y se llama Armand, no era ningún bruto feroz que deseara estropearme –exasperó Suzette a su amiga–. Es muy guapo y tiene buenos modales. Era tan tierno cuando me desnudaba y me hacía el amor que todo fue como un sueño maravilloso.

Claro que no estaba diciendo la verdad, pues su encuentro con Armand había sido arduo y ferozmente excitante. Pero sabía perfectamente que Fernande era, por temperamento, incapaz de comprender la excitación de una ruda follada.

–¡Ni una palabra más, no quiero oír nada sobre él! –exclamó Fernande, moviendo cuidadosamente los dedos y provocando espasmos de placer en el vientre de Suzette–. Quizás éste no te golpee ni te maltrate como el último, pero es un hombre, todos son iguales... y por tanto violará tu espiritualidad, si no tu cuerpo.

–Creo que eres tú, querida Fernande, la que sabe cómo violarme espiritualmente –suspiró Suzette, apretando el henchido pezoncillo rosado entre los dedos hasta que su amiga gimió de placer.

–Ya sabes que mi único deseo es protegerte, no violarte –respondió Fernande–, en cuanto a ese tal Armand que has traído hoy, guapo o feo, sé que sólo busca lo mismo que todos... hundir su horrible cosa tiesa en tu querido *jou-jou*. Oh, Suzette, ¿cómo permites que abuse de ti de tal modo? Casi me desmayo de vergüenza y horror sólo de pensarlo.

–Y cuando Monsieur Leblanc te lo hace... ¿entonces te desmayas de vergüenza? –preguntó Suzette con una sonrisa–. ¿O te abres de piernas y le pides otro valioso cuadro?

–¡Él nunca me ha hecho «eso»! –exclamó Fernande–. Ya lo sabes.

–Yo sé lo que tú me cuentas –dijo Suzette–. Te desnudas y te sientas en una silla y conversas con él mientras él se sienta en el otro extremo de la habitación y admira tu cuerpo. Pero no te creo.

—¡Te juro que es cierto! —exclamó Fernande—. A veces dejo que me acaricie un poco, pero nunca entre las piernas.

Dejara o no a Leblanc acariciarla, sus caricias en la entrepierna de Suzette producían los resultados deseados.

—¡Fernande! —dijo Suzette jadeando, apretando el vientre en los estertores del éxtasis—. ¡Viólame!

Fernande estaba recostada sobre el hombro mojado de Suzette, jugando con ambas manos entre los carnosos muslos, uno delante y el otro detrás.

—*Chérie, chérie...* —jadeaba suavemente mientras oía los gemidos de éxtasis de Suzette y sentía las ingles sacudidas por la pasión entre ambas manos—. Lo ves... este hombre torpe ni siquiera te ha saciado... ¡admítelo, estabas esperando a que yo regresara a casa! —exclamó alegremente Fernande, mientras sus manos registraban los pequeños espasmos de su amiga.

—Querida Fernande, nadie me quiere como tú —exclamó Suzette, sabiendo muy bien lo que se esperaba de ella.

Guiada y sujetada por las manos que tan exquisitamente la violaban, se dejó hundir lentamente hacia atrás en el agua hasta quedar tumbada, con las rodillas lisas y redondeadas muy abiertas y dispuestas a rendirse a los temblores de arrobamiento que la asolaba. En un momento, Fernande deslizó su esbelto cuerpo sobre el borde de la bañera con la misma suavidad que una foca, haciendo que pequeñas olas de agua perfumada se desbordasen de la bañera y yació íntimamente enlazada a la temblorosa muchacha.

La costosa ropa interior de encaje de Fernande le colgaba empapada del cuerpo, ambos tirantes del sostén se habían caído, de manera que los pechitos de pera estaban desnudos. Boquiabierta de impotente placer ante las sensaciones que la sacudían, Suzette se volvió trémulamente para quedar de cara a Fernande, haciendo que se derramara más agua por el suelo. Abrió la boca para recibir un gran beso y sus manos se prendaron con delicadeza de los senos desnudos de Fernande.

–¡Ah! –gimió a través del beso, mientras los dedos de Fernande aleteaban entre sus muslos para extraer de ella el último estremecimiento de placer.

Por fin abrió los ojos y contempló los de Fernande muy cerca de los suyos: una larga y extravagante mirada con un pequeño toque calculado. Fernande levantó una rodilla del agua y colgó la pierna por encima de la cadera de Suzette, abriendo así los muslos, como una invitación.

–¡Ah, tú también impones tus exigencias... como si fueras un hombre! –dijo Suzette, sonriendo débilmente.

–¡No, jamás! No debes decir tales cosas –exclamó Fernande, con los ojos brillantes de deseo–. Te adoro demasiado para imponer exigencias, ya lo sabes.

–Entonces ¿qué?

–Estoy a tu merced, *ma chérie* –respondió humildemente.

Suzette volvió a sonreír y metió la mano muy despacio dentro de las bragas de encaje que se adherían húmedas al vientre de Fernande, atormentándola con la espera de la caricia íntima que ésta deseaba con todo su corazón. Las yemas de los dedos vagaron ligeramente sobre los empapados rizos, prolongando la tortura hasta que Fernande se retorcía en deliciosa frustración. Cuando por fin acarició el tierno *jou-jou* entre los muslos de Fernande, ella profirió un largo y jadeante gemido.

–Sí, ya puedes gemir –dijo Suzette–. Fuiste tú la que

insististe en acariciarme y excitarme cuando yo estaba tan calmada y relajada, ahora sufrirás las consecuencias, querida. No te engañes creyendo que voy a soltarte después de sólo un rápido clímax en el baño. Esto es sólo un anticipo... después voy a secarte y arrastrarte hasta la cama y entonces, querida Fernande, te tumbaré de espaldas y te abriré de piernas... y te haré el amor hasta que te desmayes.

—*Je t'adore*, Suzette, *je t'adore* —suspiró Fernande, con el cuerpo temblando de pasión.

6

Madame Hiver en su casa

De entre la elegancia del salón de Yvonne Hiver –con el enorme espejo de Lalique que tenía grabado el dibujo de unos lirios, el mobiliario pensado para el orden y tapizado de blanco satén, los cuatro bustos tamaño natural de delicada porcelana de Limoges sobre peanas de mármol rosado en los rincones...–, la obra de arte más elegante era la propia Yvonne. Se encontraba reclinada en la *chaise-longue* modernista, apoyando el brazo con indolencia sobre la curva de cuello de cisne, con las largas piernas estiradas y cruzadas a la altura de los tobillos, una pose que permitía ver perfectamente los pies delgados y afilados en el suave interior de los zapatos de piel brillante.

Eran las once y media de la mañana e Yvonne se había vestido para recibir a las visitas con un lujoso pijama de gasa blanca. Las sedosas bocamangas y el cuello de la ceñida chaqueta colgaban en festones y el corte de los pantalones exhibía con sutileza la excelencia de las piernas. Una gran letra Y bordada en el bolsillo caía justo sobre el apuntado seno izquierdo, para atraer la atención hacia él. Yvonne sonrió y le tendió a Armand una mano lánguida, una fina mano de largos dedos que parecía casi demasiado frágil para el peso del gran rubí y los diamantes del anillo que sostenía.

«¡Ah, qué composición de claroscuros para un artista», pensó, mientras se inclinaba sobre la mano y la besaba: Yvonne en su satinada *chaise-longue,* con ingeniosos detalles de color: la boca pintada de fresa brillante, el collar de jade verde y, lo más eficaz de todo, el lustroso castaño oscuro de su cabello. Lo llevaba recogido en una cola de caballo, con raya a la izquierda para que cayera esplendoroso sobre la frente y sobre la ceja derecha y colgara recto y reluciente hasta los lóbulos de las orejas. Ya a esa temprana hora del día, su doncella personal había invertido un montón de tiempo y esfuerzo en el cabello de Yvonne para lograr tal perfección.

«Uno podría ir más allá de una especulación semiabstracta», pensó Armand mientras intercambiaban saludos y ella le invitaba a tomar asiento en uno de los sillones de blanco satén de un diseño tan moderno que no tenía brazos. De hecho, todo el decorado del salón estaba pensado para impresionar al visitante con las misteriosas profundidades del alma de Yvonne –o, si eso fallaba, de su personalidad– y guiarlo en la fascinante especulación de tales misterios. Estaba el obvio simbolismo de tanto blanco, pretensión de tierna y joven pureza que invitaba a fantasías eróticas de perversa depravación que simulaba inocencia. Pero el aspecto de incólume pureza se contradecía flagrantemente con los pijamas de última moda y la consciente sofisticación de la pose de Yvonne en la *chaise-longue*.

Sea como fuere, era incuestionable que se trataba de una dama de intrincados, ocultos y tal vez peligrosos motivos –pensó Armand–, a diferencia de su hermana Madeleine que era de corazón cándido y generoso. Amaba, respetaba y admiraba a Madeleine –y se la llevaba a la cama con entusiasta devoción–, pero la deseabilidad costosamente planeada de Yvonne le excitaba y le repelía a la vez. De hecho, dada su naturaleza, le resultaba imposible no sentirse atraído hacia Yvonne al ser consciente de que la única barrera entre el cuerpo esbelto y maravillosamente preparado y perfumado de ella, y los ojos ávidos y la caricia de las manos y los labios de él, era una liviana prenda de gasa.

Después de reflexionar, llegó a la conclusión que era más que eso. Las pequeñas cimas de sus pechos se veían empujando la gasa, pero no había ni asomo de su tono rojo, rosáceo o cárdeno a través de ella, lo cual demostraba que vestía una camiseta debajo del pijama. Y si llevaba camiseta, era lógico suponer que vestía unas bragas a juego. Si sucedía lo inimaginable y ella se distraía durante un momento y permitía que la larga chaqueta se le subiera lo bastante como para mostrar la juntura de los muslos, no habría ninguna sombra oscura de rizos a través de la gasa de los pantalones.

Estas conclusiones con respecto a la sedosa ropa interior de Yvonne interesaron de inmediato al siempre entusiasta amigo de Armand, que le recordó su presencia con pequeños temblores de inquietud. Pero, para ser completamente honesto consigo mismo —cosa que no ocurría con frecuencia, como a la mayoría de los hombres—, la delicadeza de la calculada sensualidad de Yvonne le asustaba un poco. Se preguntaba qué les sucedía a sus amantes cuando ya no satisfacían sus intereses, hecho que seguro ocurría con desagradable frecuencia a una mujer tan exigente. El despido directo de un amante al que había dejado seco —en cuerpo, cartera y alma— no era el estilo de Yvonne.

No obstante, era a Yvonne y no a Madeleine a quien había ido a ver. De hecho, había acudido a casa de Yvonne porque sabía que Madeleine pasaba el día fuera visitando a unos amigos que vivían en Versalles. Pero no para presentarse a ella en el papel de admirador y aspirante a sus favores. La razón era muy complicada y decía poco en su defensa. Lo cierto era que durante dos meses su incandescente relación con Madeleine había sido el punto central y el eje de su vida, pero había adquirido otros intereses emocionales que deseaba satisfacer y disfrutar de ellos al máximo.

Para Armand, como para el hedonista duque de Mantua de la ópera de Verdi, era cuestión de «ésta o aquélla» mientras pasaba revista a las hermosas damas que tenía a su disposición. Madeleine, Dominique, Suzette, cada una de ellas con su peculiar y distinto estilo de hacer el amor. ¿Por qué iba él –un hombre soltero y sin compromiso, independiente y guapo– a limitarse a los encantos de sólo una de estas exquisitas amigas? ¡La mera sugerencia era ilógica!

Debemos comprender que tampoco quería perder a Madeleine; desnudar sus pechitos y sostenerlos en las manos mientras los besaba era una experiencia demasiado fascinante para cualquier hombre en su sano juicio como para arriesgarse a perderla, y tumbarse sobre su suave vientre y deslizarse con delicadeza dentro y fuera de su cálido nicho era una experiencia breve aunque divina. Pero –incluso en el paraíso hay peros– el presente deseo de Armand era reducir un poco la intensidad de los encuentros con Madeleine con objeto de poder disponer de la energía y el tiempo suficientes para las demás amantes.

Al principio no tenía muy claro cómo sacar el tema a colación sin arriesgarse a levantar las sospechas de que tenía otras amigas íntimas, pero después de pensarlo con detenimiento llegó a una conclusión: Madeleine debía regresar al hogar y al marido que había abandonado y seguir siendo su amante. Eso limitaría las oportunidades para visitar su apartamento y las legítimas atenciones de su marido reducirían sus apetitos naturales a un nivel manejable.

Como es natural, sólo un loco sugeriría a su amante –ya fuera tras una opípara cena en su restaurante favorito o en la cama entre los tiernos escarceos del amor–, que regresara con su marido. Era necesario abordar el tema con mucha delicadeza y, ciertamente, por una ruta tortuosa. Según Armand era cuestión de sembrar la idea de una reconciliación entre Madeleine y Pierre-Louis en la mente de Yvonne y dejarla que, a su modo, planteara el asunto a su hermana. Pero, para su sorpresa, cuando después de un cuarto de hora de conversar sobre naderías, Armand tocó ligeramente la cuestión, Yvonne reaccionó con hostilidad.

–Deja de meterte en los problemas privados de los demás –le dijo–. Es una especie de vanidad creer que eres más inteligente que las personas implicadas y que las comprendes lo bastante bien como para sugerir soluciones a sus dificultades personales.

–¡Pero además de unirnos lazos familiares, tanto Pierre-Louis como Madeleine son mis amigos queridos! –exclamó él–. No puede haber vanidad en el intento de colaborar a su felicidad.

Los ojos oscuros de Yvonne le miraron con todo el cariño de un juez sentenciando a un criminal a cadena perpetua.

–Sé muy bien que Pierre-Louis es tu primo y Madeleine tu amante –dijo ella al fin–. Si ahora decides que lo mejor es que vuelva con su marido, debo suponer que te has cansado de ella.

–¡Claro que no! –dijo Armand muy indignado–. La adoro más allá de la razón.

–¿Y tu adoración no se ve turbada ante la perspectiva de que Madeleine se acueste con otro hombre... aunque sea su marido?

–Eres cruel, Yvonne. La idea de que mi querida Madeleine esté en brazos de otro me produce atroces sufrimientos, me lacera el alma. Pero dejando eso al margen

154

por un momento, haciendo un esfuerzo sobrehumano de autocontrol, créeme, y calibrando racionalmente la situación, es evidente que tiene un futuro más seguro si regresa con Pierre-Louis.

—Asumo que no tienes intención de proponerle matrimonio si se divorciara de él.

Armand volvió las manos hacia afuera en un gesto que reconocía sus limitaciones y se disculpaba por ellas.

—Por mucho que ame a Madeleine, el matrimonio sería un error. Como amante soy encantador, como marido sería un desastre doméstico. No, lo mejor, aunque me duela horriblemente admitirlo, es que Madeleine se reconcilie con su marido.

—¿Y para ti el asunto es así de sencillo? —le preguntó Yvonne, arqueando las finas cejas.

—Como tú y yo sabemos, ella le dejó al enterarse de que tenía una amiguita. Bueno, él la ha dejado... lo sé seguro. Así que ya no existe ningún obstáculo para que Pierre-Louis y Madeleine se reconcilien.

Yvonne le contempló, jugueteando con las cuentas de jade verde que le rodeaban el cuello. Cruzó los tobillos del otro lado y el movimiento hizo que los senos rodaran un poco bajo la leve chaqueta de gasa.

—Ya que has planeado el futuro de Madeleine y Pierre-Louis tan juiciosamente, sin duda te alegrará saber que anoche él vino aquí a pedirle que regresara.

—Estaría sobrio, espero…

—Sobrio y sincero.

—¿Y qué sucedió...? No me tengas en vilo, Yvonne.

—Creo que a Madeleine le impresionaron favorablemente sus modales y la solemne promesa de que se había librado de su amiga.

—Pero ¿consintió en volver con él?

—Ése es un paso muy importante —dijo Yvonne en un

tono indiferente que no concordaba con lo que estaba diciendo–, y un paso que requiere mucha reflexión. ¿Qué puedo decirte? Madeleine lo está pensando.

–Entonces ¿hay esperanza? –preguntó Armand–. ¿Tú qué crees?

–Creo que te estás metiendo en los asuntos de un matrimonio y no te conciernen. Quizá Madeleine acudió a ti como entretenimiento de una noche, para distraerse momentáneamente del sufrimiento que le producía el fracaso de su matrimonio, pero eso no te permite meter las narices en asuntos privados que no son de tu incumbencia. Al fin y al cabo, ella es mi hermana y yo respeto su confianza.

–Un millón de excusas –dijo Armand en seguida, presentando su sonrisa más encantadora–. Mi sincero deseo de ver como este desgraciado episodio llega a un feliz desenlace, tal vez me haya afectado demasiado. Discúlpame, Yvonne.

Se vio recompensado con una controlada sonrisita que habría turbado la serenidad de más hombres de los que él podía imaginarse, e Yvonne se inclinó hacia adelante para posar levemente los dedos en la manga de Armand como si le tomara confianza... gesto que ella sabía que resultaba encantador.

–Hace algunos años que nos conocemos, Armand –dijo en voz baja–, y por tanto, creo que puedo ser franca contigo. Madeleine aún no se ha decidido a volver con Pierre-Louis, pero creo que lo hará... y pronto.

–Estoy encantado de oír eso –dijo él, acariciando por un momento con las yemas de los dedos el dorso de la mano de Yvonne por encima de la manga.

–Y mi razón para creer que regresará con él es que anoche le permitió quedarse.

–¿Qué? –exclamó Armand–. ¿Aquí? ¿Le hizo el amor?

156

–No suelo hacer conjeturas sobre lo que hacen una mujer y su marido cuando comparten lecho tras una larga separación –dijo Yvonne, con un primor absolutamente atípico–, pero la vi esta mañana antes de que partiera para Versalles y tenía un brillo en los ojos que insinuaba que los acontecimientos de anoche fueron totalmente de su agrado.

El relato de Yvonne sobre tales aventuras maritales despertaron feroces celos en el corazón de Armand, tan fieros que olvidó por completo que el propósito de la visita era obtener el apoyo de ésta para una reconciliación entre Madeleine y su marido. Lejos de sentirse complacido por las noticias de un prometedor *rapprochement* entre ellos, su hiperactiva imaginación se inflamó de visiones de su amada Madeleine y Pierre-Louis desnudos en la cama juntos. Podía ver con perfecta claridad a Pierre-Louis acariciándole los pechos y besándole los delicados pezones terrosos.

–¿Te encuentras mal? –preguntó Yvonne–. Te has puesto pálido de repente.

Pero la febril imaginación de Armand seguía insistiendo en lo peor: una imagen de Pierre-Louis separando los esbeltos muslos de Madeleine con mano brutal, para besar los rizos castaños que nacían entre ellos. Y el horror definitivo: Pierre-Louis tumbado sobre el vientre liso de Madeleine para hundir su odiosa rigidez dentro de ella.

–¿Quieres que te pida un vaso de agua? –preguntó Yvonne solícita, o al menos aparentándolo, pues había adivinado sus sentimientos y le divertía lo impropio de su sufrimiento.

–No, gracias –dijo Armand, luchando por recuperar el control de sí mismo–. No ha sido más que un vahído. Anoche salí hasta muy tarde y tal vez tomara una copa de champaña de más. Ya pasó.

—Ah, todos salimos demasiadas noches hasta muy tarde para que nos siente bien —dijo ella con una reveladora sonrisa—, pero uno no puede quedarse en casa y transformarse en calabaza. Ven, siéntate a mi lado y dime dónde estuviste anoche... ¿Bailando en Les Acacias tal vez?

Armand se levantó obedientemente del sillón para sentarse junto a Yvonne en la *chaise-longue* con la mente hecha aún un torbellino, aunque con el semblante tranquilo y ya con los puños abiertos después de haberlos crispado para golpear a Pierre-Louis hasta machacarlo por dormir con su propia esposa. Miró a Yvonne con enojo mal disimulado, tan presto como cualquier déspota del pasado a culpar al mensajero de las malas noticias. No estaba de humor para hablar de clubs nocturnos y bailes.

—Me parece extraordinario que hayas permitido que Pierre-Louis pasara aquí la noche con Madeleine —le dijo en tono acusador—. Recuerdo muy bien que no hace mucho me dijiste que te negabas a dejarle entrar a molestarla, aquella noche en que me suplicó que viniera a interceder por él para que Madeleine regresara.

—Los tiempos cambian —replicó Yvonne, obviamente disgustada por el tono—. Ayer no molestó a Madeleine, le dio placer. Y quién sabe, quizá le dé su amor además de placer. Debo decirte que me cuesta comprender tu actitud. Es como si te fastidiara la felicidad de Madeleine. Y además, tu actitud dista mucho de halagarme, de hecho, encuentro insultante que te sientes aquí conmigo y no pienses en otra cosa más que en los problemas domésticos de Madeleine y Pierre-Louis.

—Ah, mil perdones —dijo Armand, abatido al percatarse de que estaba causando una pobrísima impresión—. Será mejor que me vaya.

Yvonne se volvió hacia él en la *chaise-longue* blanca y le puso la mano en el muslos.

—No, no permitiré que te vayas de mal humor —dijo ella con una encantadora sonrisita—. Claro, comprendo lo que debes sentir al oír que tu historia de amor con mi hermana ha llegado a su fin; es una mujer muy atractiva y estoy segura de que la adoras. Y no me resulta nada difícil de entender lo que ella ve en ti: eres extraordinariamente atractivo y excepcionalmente encantador... cuando estás de buen humor.

Al ser vanidoso, era también muy susceptible a los halagos, y con eso contaba Yvonne. Movió la mano sólo una fracción de centímetro por su muslo, pero Armand pudo sentir la calidez de la palma a través de la fina lana de los pantalones.

—Para mí los ojos almendrados y el cabello negro rizado es una combinación explosiva en un hombre —dijo, con un pequeño suspiro—, pero las apariencias no lo son todo, como muy bien sabemos. Un libro puede tener una superlativa encuadernación de cuero caro y entramado de oro y ser tan aburrido que el lector se duerma antes de acabar la primera página. Además de ser un hombre guapo, querido Armand, ¿eres un buen amante?

—Tengo el honor de informarte de que aún no se ha quejado ninguna dama —respondió con una sonrisa de orgullo.

Con la cabeza algo ladeada observó la mano de Yvonne en su muslo: ya no se estaba quieta, sino que subía hasta la articulación de las piernas de modo muy audaz, mientras su rapaz compañero se endurecía con rapidez.

—Oh, sí, no me cabe duda de que mi hermana está bastante satisfecha de ti —dijo Yvonne despreciativa—, pero, al fin y al cabo, es tan inocente que la única persona con la que puede compararte es su marido. Imagino que Pierre-Louis no es más que un actor mediocre en la cama.

Giró un poco más el recostado cuerpo dentro del pijama, doblando las rodillas juntas y poniendo los pies hacia atrás dejando el campo libre. La expresión de su rostro era serena, aunque la rosada punta de la lengua asomaba entre los labios ligeramente abiertos mientras levantaba el brazo izquierdo y se llevaba los dedos a la chaqueta del pijama, al lado contrario del bolsillo del monograma. Con la misma indolencia que si no hiciera más que atusarse el reluciente cabello castaño, se acarició el seno a través de la delicada gasa con un movimiento del puño hacia arriba.

—Por el aspecto de tu rostro infiero que te gustaría acariciarme así —dijo ella con tranquilidad—. Quizá incluso ambicionas meterme la mano dentro del pijama.

Olvidando sus aprensiones con respecto a Yvonne a medida que el voraz miembro saltaba dentro del pantalón, Armand le aseguró que estaría encantado de que le permitiera abrazarla y besarle los pechos. Pero cuando alargó la mano, ella lo frenó con la mano libre y le dijo que se estuviera quieto.

—Pero... —tartamudeó él.

—Intenta articular bien —le advirtió—. Los hombres tartamudos son muy aburridos.

—No es cuestión de que me falten las palabras, Yvonne —le respondió—, sino de no haber comprendido tu intención. Eres una mujer fascinante, como bien sabes, y ardo en deseos de abrazarte.

—Claro que ardes —coincidió con él con serena dignidad, recorriendo los pechos con los dedos de una forma que calentó la sangre de Armand hasta el extremo de la ebullición—, pero ¿y qué? No tengo ninguna obligación de someterme a tus deseos.

—Sólo la obligación natural que te debes a ti misma de disfrutar al máximo de los placeres para los que estás tan bien dotada —replicó, sonriendo mientras se rendía con humor.

–Es posible, pero yo sé lo que valgo, Armand. No soy una estúpida que permite que la use accidentalmente cualquier hombre que tenga un picor que aliviar. Soy muy hermosa y muy deseable. Yo sé los maravillosos placeres que puedo ofrecer a un hombre, ¿qué tienes tú que ofrecerme?

A modo de réplica Armand se desabrochó los pantalones con ambas manos, desde la cintura hasta la ingle. No se precipitó ni yaciló, se abrió bien los pantalones y apartó la camisa de seda de color azul cielo.

–¡Eres muy directo! –exclamó Yvonne, perdiendo por fin algo de su aplomo–. Esperaba que me hablaras de tu habilidad y experiencia en el arte de hacer el amor, no que te desnudaras.

Armand liberó el apéndice duro a través de la rendija de la ropa interior y dejó que se irguiera con orgullo para que Yvonne lo examinara.

–Hay ocasiones en que las palabras no bastan para expresar la intensidad de los sentimientos de uno –le dijo.

–Es evidente –respondió, y levantó la vista de su regazo hasta sus ojos, arqueando las cejas, secretamente divertida.

–Como has confesado tan abiertamente, eres muy hermosa y muy deseable, y la prueba de ello está aquí en mi mano. Nunca miente; revela su aprobación o desaprobación con total franqueza.

–Tiene un aspecto prometedor –admitió Yvonne, como si apreciase la calidad de una fruta en un puesto del mercado antes de decidir si comprarla o no–. El tamaño es aceptable y parece bastante fuerte... por el momento. Y esa apasionada sombra roja oscura casi púrpura siempre me fascina.

Ni que decir tiene que Armand estaba de acuerdo con todas las palabras del veredicto durante ese examen de credenciales. Se sentó con los muslos abiertos y las piernas estiradas, rebosante de orgullo ante las palabras elogiosas. «He aquí una mujer de buen juicio –pensó–, quizás más que su hermana Madeleine.»

–Pero, lástima –prosiguió Madeleine, con un asomo de desdén crepitando en la voz–, todo el mundo sabe que esta parte del hombre es indiscriminatoria hasta el punto de la vulgaridad en el instante en que alcanza su distendida condición. La hermosura y el refinamiento no tienen ni significado ni valor para ella... deja que vea a una obesa cocinera de mediana edad inclinada y le levantará las faldas y se meterá en la fea raja de su entrepierna sin dudarlo un instante.

–Si ésa ha sido tu experiencia de los hombres, lamento que tus conocidos sean indignos de ti –dijo Armand, aunque a decir verdad, sabía que Yvonne había dicho la pura verdad.

–Ah, ¿entonces te consideras digno de mí? Eres distinto a los demás hombres, más listo ¿verdad?

–En resumidas cuentas, y sin desear parecer jactancioso, sí –dijo Armand, sonriendo mientras observaba como los largos dedos se extraviaban hasta su regazo para acariciarle el puntal de carne–. Desde que tuve edad para adorar a las mujeres he insistido en tener sólo a las mejores como amigas íntimas. Quizá los demás hombres persigan encantos inferiores; yo siento que merezco relacionarme sólo con mujeres dotadas de belleza y refinamiento, para utilizar tus propias palabras.

–Entonces, parece ser que tenemos mucho en común, tú y yo –murmuró Yvonne con una débil sonrisa en los labios de fresa–. Pero esta búsqueda de lo mejor a veces puede resultar agotadora e incluso frustrante, ¿no te parece? El compañero que al principio parece estar exquisitamente de acuerdo con los anhelos más íntimos de una, luego resulta inaceptable de algún modo o carece

162

de la suficiente fuerza mental o corporal. Hay momentos casi desesperantes en la interminable búsqueda de la perfección del amor.

Ahora ella lo había cogido fuerte y parecía calibrar su vigor y solidez para el propósito que tenía en mente.

–Lo que dices es muy cierto. Somos como artistas a la zaga de un ideal inalcanzable, pero es nuestro destino y, por muchos chascos que nos llevemos, ni por un momento pensamos abandonar la lucha.

–Qué bien lo has dicho –suspiró Yvonne–. Empiezo a creer que existe la posibilidad de que demuestres ser digno de mí. Al menos te has ganado la oportunidad de demostrarme el grado de tu comprensión.

Ella lo soltó para quitarse la chaqueta de gasa blanca por la cabeza, pues los botones eran un simple adorno, no se desabrochaban. Debajo de ella llevaba una fina camiseta de seda blanca como la leche que se hundía profundamente en el valle que se abría entre los pechos y tenía estrechos tirantes sobre los finos y elegantes hombros. Mientras Armand la contemplaba encantado y casi sin aliento, Yvonne dejó caer la camiseta por fuera de los pantalones del pijama y luego del todo, hasta quedarse desnuda de cintura para arriba. Armand admiraba extasiado los senos de piel pálida, más puntiagudos todavía a causa de los pezones extraordinariamente prominentes y de un cautivador tono bermejo.

–¿No nos interrumpirán aquí? –preguntó.

–Claro que no... los criados tienen orden de no molestarme jamás cuando recibo a un amigo *tête-à-tête*. La nodriza se ha llevado a los niños al Bois y Madeleine ha salido a pasar el día fuera como ya sabes.

No hizo mención ninguna de Jean-Roger, su marido, que estaba en casa sólo de vez en cuando. Dado su silencio sobre el tema parecía razonable suponer que no era el día que esperaba una de sus visitas maritales obligadas.

—¿Y bien? —preguntó ella en tono petulante, pues Armand no le había hecho ningún cumplido sobre su deseabilidad—. No vayas a imaginar que me desnudo para todos los hombres que vienen a visitarme.

Armand estaba absolutamente encantado de haber excitado a Yvonne, allí —en su propio salón—, hasta el punto de desnudarse de cintura para arriba para él. Y ella había olvidado su habitual reserva hasta parecerle aceptable que él se sentara en su mueble de satén blanco con los pantalones abiertos de par en par y el puntero tieso completamente a la vista. Armand era lo bastante arrogante como para creer que era la primera vez que Yvonne prodigaba tal intimidad fuera de su dormitorio.

También le divertía la irritación de Yvonne porque no había caído de rodillas a sus pies e implorado el privilegio de besarle los pechos desnudos. Pero estaba decidido a jugar a su juego, conservando la compostura, al menos exteriormente, pues su excitable amigo se sacudía exigiendo en silencio sus derechos naturales.

—Tienes los senos más deliciosos del mundo entero —dijo, con una sonrisa encantadora—. Y la delicada opalescencia de tu piel contrasta de manera exquisita con el verde de los abalorios de jade. Me has concedido tal privilegio que estoy sobrecogido por tu generosidad.

—¿De veras? —dijo ella, aún molesta de que su respuesta ante el destape de sus encantos se limitara a palabras—, pero esto no está sobrecogido, según veo.

Y por primera vez agarró el recio atributo en toda la mano y lo acarició con rápidos y nerviosos vaivenes de puño.

—Querida Yvonne, me has puesto en un estado imposible —murmuró Armand, luchando por mantener su aspecto indiferente a pesar de las oleadas de placer que le suscitaba–. Hace sólo un momento me has informado de que el miembro masculino que estás sujetando no distingue entre una dama refinada y hermosa y su obesa cocinera, y que entraría en la fea con la misma presteza que en la hermosa. Si tuviera valor para confesar que deseo enormemente meter el mío dentro de ti, y que ninguna mujer aquiescente, ni siquiera tu cocinera, me resultaría aceptable en mi presente condición, te sentirías mortalmente ofendida.

–¡Claro que no! –exclamó ella–. Puesto que sé que es la visión de mis senos la que te excita tanto, resulta que soy la única con la que deseas hacer el amor. No tienes que preocuparte por ello.

La lógica de su declaración era demasiado complicada para Armand, pero estuvo de acuerdo en que era la visión de sus preciosos senos la responsable de que la anhelase a ella y sólo a ella con todo su corazón.

–Como es natural, soy consciente del arrollador efecto que mis pechos tienen sobre los hombres –dijo ella tranquilamente, sin dejar de acariciarlo–. Al desnudarlos para ti, podemos ver este miembro tuyo de cabeza púrpura en plena forma. Estás tan excitado por lo que te he mostrado que se encuentra al máximo de longitud y grosor... y tan tieso como una escoba.

–Aún no lo has visto en su mejor momento, pero te acercas, Yvonne –respondió él, mientras espasmos de gozo le recorrían el vientre–. Lo mejor de todo es cuando le asalta el clímax y lo hace saltar y rociar su alegría. Pero es mejor experimentarlo de otro modo que verlo con tus hermosos ojos marrones.

–Ah, eres lo bastante engreído como para creerte digno de ser admitido en mi más íntima amistad ¿no? –le preguntó recorriendo lentamente con la punta húmeda de la lengua el carmín de los labios.

—Sólo tú puedes decidir quién es digno de eso —le dijo, el esfuerzo para mantener su aparente indiferencia era ahora tan difícil que muy pronto le resultaría imposible y suplicaría a Yvonne.

—Aún no me he decidido, Armand —y a él le pareció que la respiración de ella se hacía algo irregular y se le arrebolaban las mejillas.

En ese momento, Armand alargó la mano para acariciarle los pechos y hacer rodar los prominentes pezones entre los dedos, e Yvonne no hizo ningún movimiento para detenerle, ni siquiera cuando se inclinó sobre ella y los rozó con la lengua. Cuando la oyó suspirar, le puso la mano entre las piernas y la frotó suavemente a través de la fina gasa. Pronto Yvonne se estremeció de placer y él metió la mano en el pijama, pero ella suspiró:

—¡Aguarda un momento, Armand!

Armand se sentó mientras ella se desabrochaba dos botones de la cinturilla y con la respiración entrecortada él la observó hundir los largos y finos pulgares en las bragas blancas que vestía bajo el pijama, y exhaló un largo suspiro de gozo cuando Yvonne se bajó ambas prendas por las depiladas piernas hasta los tobillos. Armand se levantó de inmediato de la *chaise-longue* y se arrodilló sobre la alfombra para descalzarle los blandos zapatos y luego pasarle el pijama y las bragas por los pies y quitárselos.

Ella aún apretaba las rodillas, de modo que Armand sólo veía un pequeño parche de rizos castaños sobre su vientre por encima de donde se juntaban las piernas. Puso una mano en cada rodilla y las separó con firmeza, abriéndoselas para verla. Los rizos eran profusos, más que los de Madeleine, y debajo de ellos se hallaban unos labios grandes y promiscuos de un color rosado que le hicieron jadear de deseo. Yvonne le contempló entre las piernas durante un rato antes de levantar un piececillo descalzo

166

y arqueado y, con los dedos de uñas escarlata, frotarle cuidadosamente los pompones por debajo de la clavija temblequeante.

—¡Oh, mira... veo que al permitirte quitarme las bragas se ha puesto aún más fuerte! ¡Seguramente puedo hacer que se ponga más grande!

—Claro —dijo Armand jadeando—. Cuando te lo meta... entonces sentirás toda su fuerza y te producirá el éxtasis.

Sus palabras la excitaron aún más. Cerró perezosamente los párpados, con la boca entreabierta, respirando agitadamente. Armand le cogió el tobillo y le levantó el pie lo suficiente para depositar un beso en cada uno de los dedos. Cuando la soltó, Yvonne agarró el palpitante estilete entre las plantas de ambos pies desnudos y lo frotó arriba y abajo.

—¿Metérmelo? —preguntó ella, abriendo sorprendida los ojos entornados—. ¡No he dicho nada de eso! Aún no estoy decidida sobre ti, Armand. ¿Qué te hace suponer que vas a tener el privilegio de endilgarme esa cosa de aspecto tan ordinario?

—¡Ordinario! —exclamó sorprendido—. Hace un momento me dijiste que te parecía fascinante.

Yvonne se encogió de hombros y sus pechos se bambolearon.

—Quizá he hablado por educación, pero no serás tan ingenuo como para creer todo lo que se dice. Por favor, piensa que he visto un montón de juguetitos masculinos de éstos y sé de qué estoy hablando. Para ser honesta, el tuyo es algo más largo que la media, pero eso no significa nada.

—Lo que dices me recuerda a mi tío Henry —dijo Armand en voz baja, estremeciéndose de placer ante el masaje de pies—, creo que tienes que conocerlo. Es un gran catador de vino. Véndale los ojos y deja que pruebe sólo un sorbito de una botella sin etiquetar y te dirá la región, el viñedo, el año... nunca se equivoca. Pero, ¡ay!, los años dedicados a la cata de vinos que han hecho de él un experto famoso, han arruinado su apreciación... su atención está tan centrada en identificar lo que prueba y compara con todas las demás vendimias que ha bebido, que ya no disfruta del vino.

—No creo que tu juguete se haya puesto nunca más grande —dijo Yvonne, sin prestar atención a su parábola—. Me prometiste que eras un amante maravilloso y, como es natural, quiero ver lo que esperas endilgarme. Estoy acostumbrada a lo mejor... no creas que puedes engañarme. Si contra mi buen juicio corro el riesgo de permitirte proseguir, espero que mantengas tu promesa.

—Con mucho gusto. No te arrepentirás.

Le cogió los tobillos y se los apartó, con la intención de acercarse más a las rodillas, lo suficiente como para que su impaciente miembro brincara con audacia contra el cálido vientre de ella. Armand levantó las manos por las piernas de ella hasta los muslos abiertos, y la habría traspasado mientras se sentaba tiesa en la *chaise-longue*, pero Yvonne puso una mano ante los rizos castaños para impedirle la entrada.

—Ciertamente así no —dijo ella con severidad—. No estás empezando con buen pie, Armand. Me gusta tumbarme de espaldas y gozar de la sensación del cuerpo de un hombre encima de mí. Quizá te parezca anticuada en mi respeto por la tradición... me han dicho que las chicas de ahora no piensan en otra cosa más que en tumbar a un hombre en la cama mientras ellas se espatarran encima de él... pero a mí no me gustan ese tipo de cosas. Me siento más mujer cuando un hombre fuerte me tiene debajo de él, de modo que está entre mis piernas y yo a su merced.

Se dio la vuelta y se tendió sobre la *chaise-longue* de satén blanco, con las manos juntas debajo de la cabeza como en completa rendición, pero con las largas y esbeltas piernas apretadas. Armand se puso en pie y se quitó la chaqueta de su traje azul a rayas y la corbata con el fin de ponerse cómodo para los placenteros esfuerzos que se avecinaban. Yvonne le sonrió, pero no era la adorable sonrisa de una mujer cuyo amante está a punto de montarla y transportarla a las cumbres del éxtasis, era la sonrisa de cortés aliento que una mujer dirige al dependiente que le está probando un par de zapatos.

En cuanto vio que Armand ya estaba preparado para ella –con el tenaz proyectil en la mano y la cabeza púrpura desnuda para pasar a la acción–, Yvonne se abrió de piernas con deliberada lentitud. El efecto fue extraordinariamente excitante, como ella pretendía: Armand se quedó inmóvil sin apenas respirar mientras observaba cómo se separaban los muslos sobre el satén blanco. Poco a poco todo le fue revelado: primero el vellón oscuro, luego los tiernos hoyuelos de las ingles donde los rizos eran menos espesos y por último el cauce de carne. Armand suspiró de gozo y las piernas seguían abriéndose, centímetro a centímetro.

Le asombró la agilidad de Yvonne en la postura del amor; tenía las piernas tan abiertas que uno sólo lo habría creído posible en una joven bailarina de Can-Can del Folies Bergères o a una acróbata del circo. Cuando notó las rodillas contra los extremos de la *chaise-longue*, las dobló hacia abajo, hasta que tuvo los pies desnudos planos sobre el suelo a cada lado. Armand se arrodilló entre los muslos, excitado casi hasta el extremo del delirio ante la visión de los largos labios rosa, tan abiertos por la posición de las piernas que el botón secreto, henchido y húmedo apareció a plena vista.

169

Ya no se discutía si él era digno de penetrar en tan voraces fauces.

–¡Métemela! –murmuró ella–, ¡para eso estás hoy aquí!

Claro que se equivocaba, cuando llegó a visitarla esa mañana nada más lejos de su mente que la idea de hacerle el amor, pero su desmedida presunción exigía que creyera que el principal propósito en la vida de todo joven atractivo era adorar su belleza montándola. Armand no tenía ninguna intención de enmendar su errónea creencia, en un tris tras estuvo encima de ella y guiaba su miembro hacia ella con mano ansiosa.

–¡Oh! –exclamó Yvonne cuando él se hundió hasta la empuñadura, pero era incapaz de discernir si expresaba sorpresa, consternación o placer.

Antes había insistido en que prefería tumbarse de espaldas con el peso de un hombre encima de ella y sentirse a su merced, pero lo que sucedió acto seguido era totalmente distinto. Ahora que le había tentado abriéndose hasta lo imposible, levantó los pies del suelo y ciñó las esbeltas piernas a su espalda como una trampa de acero, de modo que era Armand el que estaba indefenso.

Yvonne se movía debajo de Armand, empalándose contra él en rápidas y nerviosas embestidas, deslizándose en la engullida verga. Afanosamente él pasó a la acción, intentando bregar dentro y fuera de ella, pero las piernas se habían aferrado con tanta tenacidad a su cintura y los brazos a su espalda que le inmovilizaban. Ella lo sujetaba con el vientre pegado al de ella y el pecho le aplastaba los senos que apretaban los duros pezones contra él.

–Quédate quieto, Armand –exclamó ella bruscamente.

Lejos de emplear la violencia para romper su abrazo, no podía hacer otra cosa más que quedarse quieto mientras ella lo trabajaba desde debajo. No es que tuviera importancia, el resultado iba a ser el mismo que si Armand hubiera sido el activo e Yvonne la pasiva. Sus emociones crecían en un pulsante *crescendo* hacia el eventual cenit y Armand contempló maravillado el semblante que tenía debajo. Los ojos oscuros de Yvonne estaban perdidos en una mirada vidriosa, la boca abierta y fija en una sonrisa distante; era obvio que no sabía quién era ni con quién estaba.

Yvonne llegó al clímax con facilidad y presteza. Los músculos del rostro se sacudieron en un espasmo, forzando tanto la boca que su sonrisa se convirtió en una mueca que descubrió toda la dentadura, los brazos se aferraron tan fuerte a él que le estrujaba el aliento y su breve espalda se arqueó sobre la *chaise-longue*, obligando a Armand a internarse en sus más hondas profundidades; una sensación tan fascinante que él la regó al instante con su deseo. Pero con la misma celeridad que le llegó la satisfacción, se desvaneció y ella soltó los brazos de Armand para cogerle la muñeca y girarla con el fin de mirarle el reloj. Y mientras él aún se estremecía en el epílogo del éxtasis, Yvonne se libró de Armand.

–¡No me he dado cuenta de la hora que era! –exclamó, escapando de debajo de él con la habilidad de una dilatada experiencia.

Armand se tumbó de espaldas en la *chaise-longue*, con el húmedo tallo aún duro y contempló perplejo cómo Yvonne se ponía en pie dándole la espalda, mostrándole el terso trasero, mientras se apresuraba a enfundarse en la ropa interior.

–Pero no comprendo. ¿Por qué esa prisa de repente?

–Porque tengo un almuerzo a la una con la duquesa de Beaumarchais y otros amigos... y tengo quince minutos para reparar el daño que me has hecho, retocarme el maquillaje y vestirme en un santiamén.

–Lamento no haber podido retener tu interés durante más que un instante –respondió Armand muy disgustado, sentándose para abrocharse los pantalones y anudarse la corbata.

–¿Qué? No seas tonto, Armand... ha sido muy placentero.

–¿Sólo eso? –preguntó, exasperado por su actitud impertinente–. Entonces no te molestaré más.

Ya había atravesado medio salón, encogiéndose de hombros dentro de la chaqueta y temblando de indignación, cuando Yvonne lo alcanzó y le echó los brazos al cuello para detener su marcha hacia la puerta. Se había puesto las bragas y la camiseta, pero tenía el pijama arrugado sobre el brazo, de modo que la suave gasa rozaba la mejilla de Armand.

–No debes ser tan susceptible, querido, o nunca seremos buenos amigos. Siento tener que dejarte tan pronto, cuando empezábamos a conocernos, pero estoy citada para almorzar desde hace más de una semana y sería muy descortés romper una cita con tanta precipitación. Seguro que lo comprendes.

Estaba lo bastante cerca de él para que los pezones le rozaran a través de la fina camiseta y que el delicioso olor cálido de su cuerpo, mezclado con el carísimo perfume, le exaltara los sentidos de manera irresistible. Le metió mano bajo la camiseta y agarró un puñado de suave carne del vientre, medio de deseo y medio de exasperación. Y pronto la mano se abrió paso dentro de las bragas para palpar los espesos rizos y acariciarle luego los húmedos labios de la entrepierna.

–No... de veras, debo irme –susurró ella, rozándole la mejilla con la boca–. Vas a hacerme llegar tarde...

Pero los dedos de Armand estaban ocupados en la lubricidad de la cálida *embouchure* y el vientre de Yvonne se retorcía contra él.

172

—No, no debes, no debes... —suspiraba, abriendo los pies desnudos sobre la alfombra como indicación de que sí debía.

Y así lo hizo: de pie sobre la alfombra de piel blanca a medio camino de la puerta del salón la poseyó, como con gran entusiasmo lo describía para sí, del mismo modo en que Yvonne lo había poseído a él en la *chaise-longue*. Es decir, le excitó el recóndito botón con dedos diestros mientras ella se reclinaba suspirando contra él, con la mejilla apretada a la suya y los ojos marrones perdidos, hasta que, mucho antes de lo que él esperaba, Yvonne profirió un gritito y se quedó laxa. Pero sólo durante un momento, luego se alejó de él y se subió el pantalón del cómodo pijama.

—Iré a tu apartamento en cuanto acabe el almuerzo —le dijo, dirigiéndole una sonrisita que podía ser interpretada como de afecto distante o de una educada despedida—. Espérame... llegaré a eso de las tres.

Pero mientras paseaba por la Avenue des Champs Elysées hacia un restaurante, Armand no estaba del todo satisfecho del curso de la mañana. Yvonne era una mujer insatisfecha que utilizaba a los hombres para su gratificación accidental —eso no era ningún secreto— y él significaba tan poco para ella como otros cientos de elegidos. ¿Cientos? Tal vez miles... ¿quién sabe? En parte había recuperado la confianza en sí mismo gracias a la pequeña victoria que supuso acariciarla hasta el orgasmo mientras la miraba a la cara, pero la sensación de ofensa persistía, y no era sólo porque la depredadora de Yvonne lo había poseído con indiferencia como si se fumara un cigarrillo.

Llegó a la conclusión, profundamente turbadora, de que él constituía un blanco para las mujeres insatisfechas. Su buena planta, sus ropas a la moda, sus modales corteses, su habilidad para complacer en la cama... temía que estas cualidades tuvieran más que ver con su susceptibilidad que con el éxito con las mujeres bonitas. Era evidente que con sólo una mirada una mujer sabía que podía usarlo para lo que quisiera... sólo tenía que dejar que le desnudara los pechos y se los besara.

Yvonne lo había usado par divertirse una hora antes de almorzar, su hermana Madeleine lo había usado para vengarse de Pierre-Louis. Tardó mucho tiempo en comprenderlo, pero la noticia de que había pasado la noche con su marido le había iluminado. Suzette buscaba un «pagano» que sustituyera a Pierre-Louis y también Dominique usaba a los hombres para sus propios propósitos, pero era tan divertida que se la podía perdonar. Y, antes que ella, todas las mujeres a las que había adorado y que le habían dicho que lo adoraban.

Le irritó pensar que era aceptado por su funcionalidad, como cualquier otro hombre, deseaba ser amado sólo por sí mismo. Cuando Yvonne llegó a su apartamento a media tarde, estaba de mejor humor por la excelencia de la comida y el vino del almuerzo y la importancia de sus amigos. Pero Armand estaba de un humor muy distinto: sus infelices reflexiones sobre cómo sus predilecciones naturales le hacían presa fácil de las mujeres le habían reducido a un cínico estado mental.

«¡Si es así como ha de ser, tanto peor! —se dijo para sí—. ¡Las utilizaré igual que ellas me utilizan a mí!»

Y en ese indolente estado mental besó con impersonal cortesía la mano de Yvonne, como si esta fuera su primera cita desde hacía días, como si los acontecimientos de la mañana nunca hubieran tenido lugar, como si ella nunca se hubiera desnudado para él en el salón, como si nunca hubiera disfrutado de los encantos de su esbelto cuerpo. Le cogió el abrigo de cuello de piel y, sin mediar palabra, la condujo directamente al dormitorio.

Para el almuerzo con la duquesa, Yvonne se había puesto un sencillo vestido de terciopelo verde salvia –obra de un maestro de la costura–, con mangas ceñidas que acababan en remates colgantes y el corpiño hecho para exhibir su figura esbelta y a la moda. El sombrío color del vestido era contrarrestado por una hilera de botones planos de marfil desde el cuello hasta el bajo y, a modo de adorno, llevaba un par de broches a juego en forma de grandes mariposas. Eran de diamantes y los ojos esmeraldas redondas y llevaba una mariposa prendida encima de cada uno de sus apuntados pechos.

Al quitarle la chaqueta, Armand percibió una expresión de condescendencia en sus ojos y la boca pintada de rojo se abrió para hacer un apropiado y cortante comentario sobre la falta de delicadeza de Armand por ir tan al grano. Pero el comentario nunca llegó a ser pronunciado y la expresión de su rostro mudó en indignación cuando él se inclinó para cogerla por las rodillas y derribarla de espaldas a los pies de la cama.

–¿Qué demonios estás haciendo? –exclamó, sin el menor rastro de *sang-froid* cuando Armand se metió entre sus piernas.

Ignoró la tentadora hilera de botones del delantero del vestido y se lo levantó hasta la cintura para descubrir la ropa interior. Se había cambiado las bragas de satén del encuentro de la mañana por unas negras vaporosas.

–¡*Chérie*, te has puesto las bragas de encaje más excitantes para mí! –dijo Armand ignorando sus protestas y palpando la suave carne desnuda de los muslos por encima del borde de las medias negras de seda–. ¡Pero qué *chic*!

Para sujetarla de espaldas e indefensa, le levantó las piernas hasta la perpendicularidad y las rodeó con un brazo apresándolas contra su pecho. Yvonne le insultó y le amenazó con gran ferocidad y luchó tan encarnizadamente para liberarse que el sombrerito redondo se le cayó y rodó lejos de la cama. Sin prestar atención a nada de cuanto decía, Armand le levantó más las piernas para elevarle el liso trasero lo bastante como para quitarle las coquetas braguitas.

La sujetó por los tobillos y jugó con ella abriéndole las piernas despaciosamente, revelando ante su mirada de admiración el vellón castaño oscuro y los grandes labios rosados, y luego ocultándolos apretándole lentamente los muslos otra vez, y volviendo a regalarse con sus encantos abriéndole de nuevo las piernas.

—¡Así no! —protestó Yvonne, enrojecida de ira—. ¡Deténte ahora mismo!

—Ah, estás impaciente por ver el instrumento de tus delicias y las mías —dijo Armand y apretándole fuerte las piernas contra el pecho con una mano se desabrochó los pantalones y los dejó caer hasta los tobillos.

Su excitable amigo saltó como accionado por un resorte con tanta audacia que rozaba el tierno reverso de los muslos de Yvonne.

—¡No! —objetó ella, pero Armand la volvió a coger por los tobillos y le apartó las piernas para enseñarle su prominente orgullo.

—Esta mañana en tu *chaise-longue*, me impresionó la soberbia flexibilidad muscular de la que hiciste gala cuando te abriste de piernas para mí —le dijo, aunque ella no le escuchaba—. Debo ver cómo lo vuelves a hacer.

Muy despacio y absolutamente contra su voluntad, pues Yvonne se debatió contra él todo el rato, la abrió de piernas, preguntándose hasta dónde podía llegar si partirla por la mitad. Desplegó los brazos a la altura de los hombros, con un tobillo en cada mano, aunque ella hacía obvia su extrema incomodidad. La postura hizo que se le abrieran los finos labios de la entrepierna y, doblan-

176

do un poco las rodillas e inclinándose hacia adelante, Armand pudo presentar la cabeza púrpura de la verga a su abertura. De un largo embate se la metió dentro e hizo que Yvonne articulara su protesta en un estridente alarido de ira.

–Esta mañana me dijiste que disfrutabas sintiéndote indefensa, tumbada de espaldas –le dijo, hundiéndose más en ella–. ¿Te sientes lo bastante indefensa, Yvonne?

Intentó doblar las piernas para proteger su vulnerabilidad, pero Armand empleó la fuerza para mantenerlas estiradas.

–Tienes unas piernas muy hermosas –murmuró, alejándolas lentamente la una de la otra–. Largas y maravillosas, con esbeltos muslos, largas pantorrillas y finos tobillos. Y el delicado tono de tu piel brilla a través de las medias de seda... ¡ah, qué perfección!

–Suéltame –le imploró, mientras la rabia empezaba a dispersarse gracias a sus palabras elogiosas–. Suéltame y seguiremos siendo amigos.

–¡Claro que seremos amigos! –le aseguró Armand–. ¿Alguien le ha hecho el amor alguna vez a tus piernas, Yvonne? ¿o tengo el honor de ser el primero?

Aunque ni él ni ella se percataban de la vis cómica que presentaba su cita: Armand con los pantalones alrededor de los tobillos, con el trasero al aire elevándose hacia adelante y atrás mientras enfilaba el clavo en su suave raja con un movimiento tembloroso, e Yvonne desnuda de cintura hacia abajo hasta las medias, con las nalgas desnudas contra el vientre de él y los pies a cada lado de su cabeza. De cintura para arriba sus encantos íntimos estaban pudorosamente ocultos por el ceñido vestido con los broches de diamantes, aunque tenía los brazos muy abiertos y los puños crispados en silenciosa protesta ante tal manipulación de su voluntad.

177

Armand declaró su interés por hacerle el amor a sus piernas –significara lo que significase–, pero resultó que el sinuoso roce de las medias le excitaba furiosamente. Ladeó la cabeza para posar los ansiosos labios en la fina seda negra y ella sintió la humedad de la lengua de Armand en la pantorrilla.

–¡Estás loco! –exclamó–. ¡Suéltame, pervertido!

Él gimió de gozo y la acometió cada vez más fuerte y más rápido, haciendo oscilar las piernas de ella al ritmo de su placer. Le quitó los afilados zapatos negros y le sujetó los pies contra el rostro, llenando de besos húmedos la suave planta a través de la fina cobertura de seda. Y mientras su excitación llegaba a cimas frenéticas, su vientre ardoroso bregaba más fuerte contra la carne desnuda de su fruncido culo y la perforaba con más fuerza.

–¡Oh, Yvonne... te adoro! –dijo jadeando.

–¡No! –gritó ella, al verle al borde del éxtasis–. ¡No tienes que hacerlo así... no quiero que lo hagas!

Pero Armand no oía sus protestas, aunque hubiera querido, y su cuerpo se estremecía mientras empitonaba su blanda vaina con frenesí. Tenía los ojos abiertos pero no veía nada. Estaba en esa condición en la que no sabía en qué cuerpo estaba a punto de explotar; en el de Yvonne, en el de Madeleine o en el de alguna otra mujer.

–¡Oh, Dios mío! –exclamó Yvonne con disgusto.

Mientras decía esto, veía como Armand ponía los ojos en blanco y estremecía el cuerpo mientras vertía su euforia dentro de ella, con la boca apretada en un ardiente beso sobre el interior de su pie derecho.

–¡Oh, Dios mío! –repitió, y esta vez era un gemido mientras el abrupto ímpetu del clímax de Armand la precipitaba de cabeza en un éxtasis que le hizo arquear el cuerpo y retorcerse en la cama.

Cuando Armand volvió a serenarse, la cogió por los

tobillos y le abrió las piernas en toda la extensión de sus propios brazos para contemplar la larga y húmeda broca, medio engastada en la rosada abertura. Yvonne levantó la cabeza para mirar las partes unidas, con una expresión de desaprobación en su bonito semblante.

—Ha sido muy placentero —dijo Armand empleando las mismas palabras que ella había utilizado esa mañana, con un tono de desdén en la voz.

—Eres un animal y un pervertido —respondió con una voz que habría helado un río, y aunque intentó liberar las piernas, pronto dejó de debatirse cuando él se negó a dejarla marchar.

—Le he hecho el amor a tu pierna derecha y ha sido delicioso. Antes de que te vayas me permitiré el placer de hacerle el amor también a la izquierda, sería descortés no hacerlo. Pero antes, hay algo que deseo que hagas.

Armand enderezó la espalda retirando la verga reblandecida, le sujetó las piernas apretándoselas bajo los brazos y le metió los dedos para acariciarle el secreto botón.

—¡No! —dijo ella enseguida—. Ya me lo hiciste esta mañana.

—Y fue delicioso —replicó él, y para entonces ya tenía los pulgares entre los húmedos pétalos y la hacía estremecer—. Tengo el propósito de observar tu excitación varias veces, antes de dedicarme a tu pierna izquierda —le dijo—. Quédate quieta y disfruta, Yvonne, pues no estás en situación de negarme nada.

7

Éxtasis mentales

Eran alrededor de las diez de la mañana y un acuoso rayo de sol otoñal asomaba por la ventana del dormitorio cuando Armand se levantó preso de una maravillosa sensación de bienestar. El orgullo de su vida se había despertado antes que él y se encontraba en plena forma dentro del pijama de seda malva, pero no era sólo tal circunstancia la que le producía una sensación de euforia. Se debía –recordó Armand mientras se daba la vuelta para tumbarse de espaldas con las manos bajo la cabeza en actitud de meditación– a que las perspectivas para la noche se prometían muy placenteras. A las siete y media llevaría a su nueva amiga a cenar: Suzette Chenet de pelo claro, diecinueve años y un cuerpo delicadamente lozano.

Después de una soberbia cena irían al club a bailar una hora o dos y luego... ah, luego, luego, luego –pensó, mientras su tieso orgullo intentaba hacer una tienda con la sábana–, bueno, hacer el amor con Suzette era distinto a hacer el amor con cualquier otra mujer. Su cuerpo aniñado le excitaba hasta un grado de pasión que rara vez había experimentado y su frenesí la elevaba a ella hasta la misma cima, de modo que se compenetraban a la perfección. Con Suzette, el acto de amar se parecía al apareamiento de dos tigres bengalíes.

Lo extraño era que Armand no se solía sentir atraído por muchachas tan jóvenes como Suzette. Como compañeras para el amor solía elegir a mujeres de su propia edad –que eran los treinta años– o incluso uno poco mayores. No le gustaban las muchachas por madurar, sino las mujeres de cierta edad, acicaladas, maduras, con experiencia... y preferiblemente casadas. Semejantes mujeres aportan al acto amoroso una riqueza de repertorio, adquirida tras quince años o más de hacerlo con diversos hombres. Saben lo que quieren de un amante, no se cohíben ni simulan cohibirse y no se sorprenden ante las agradables desviaciones.

Pero ¿qué vamos a decir? Cada regla, para que sea regla, ha de tener sus excepciones. Para Armand, Suzette era la excepción a la norma, pues ella irradiaba una joven sensualidad a la que era incapaz de resistirse. Las horas de la velada que iban a pasar juntos serían un banquete de insólita delicia. Cuando por fin se durmieran en esa misma cama en la que él yacía ahora, se habrían amado hasta la total saciedad, de eso no le cabía la menor duda. Y cuando se despertaran abrazados en esa misma cama a mediodía, era posible que estuvieran demasiado exhaustos para hacer el amor una vez más antes de que ella tuviera que marcharse.

Con esto rondándole en la cabeza, Armand se negó a los ansiosos tirones del fiel compañero que tenía entre las piernas y se levantó a desayunar. Madame Cottier llevaba merodeando por allí más de una hora. Le hizo café y, cuando se lo llevó al salón con deliciosos croissants recién hechos, le dijo que esperaba que una dama se quedara a pasar la noche con él. Madame Cottier asintió imperturbable y le dijo que pondría las sábanas de satén nuevas de color gris pichón para complacer a su invitada. Luego le preguntó sobre los preparativos del desayuno del día siguiente.

–Llevaré a la dama a un club nocturno. Bailaremos juntos hasta tarde. Dudo que nos levantemos antes del mediodía.

181

–Ah, sí –dijo Madame Cottier, con la cabeza ladeada y los brazos plegados sobre los senos–. He oído que esos clubs nocturnos pueden ser muy agotadores. Es de esperar que usted y la dama no se excedan, Monsieur Armand. Estaré aquí preparada para servir *café complet* para dos en su dormitorio cuando usted lo pida, aunque sea a media tarde.

Pensando en los gozosos esfuerzos de la noche, Armand se concedió una mañana de holganza, sin hacer más que charlar con unos amigos por teléfono. Salió a tomar un ligero pero sustancioso almuerzo y media botella de excelente tinto de Burdeos en un pequeño restaurante cercano y a las dos y media volvía paseando a su apartamento, con la idea de disfrutar de una siesta de una hora o dos y ahorrar energías para hacer justicia a Suzette.

Juzguen pues su sorpresa cuando, al meter la llave en la cerradura de la puerta del apartamento, Madame Cottier la abrió y le informó de que tenía una visita. Una ligera sensación de mareo le atenazó la boca del estómago: si la visita era una de las tres hermosas mujeres a las que solía adorar –la apasionada Madeleine o esa excitante hermana suya, Yvonne, o la deliciosamente perversa Dominique–, sería casi imposible no verse arrastrado a una tarde de amor que le impediría ahorrar energías para la noche.

–¿Quién es? –preguntó, sin estar seguro de a cuál de las tres temía más en ese momento.

–Madame Quibon –dijo Madame Cottier, sorprendiéndole por completo–. Yo me marcho, ahora que usted ha regresado... todo está preparado para esta noche.

Aunque Armand no la conocía, sabía que Fernande Quibon era la amiga, de más edad, en cuyo elegante apartamento vivía Suzette. También sabía que era la amante de Marc Leblanc, el experto en arte. No se le ocurría razón en el mundo que explicase su visita, a menos que le trajera noticias de Suzette demasiado importantes para transmitirlas por teléfono. Con la mente llena de imágenes del desastre –un accidente en la calle, un choque de Metro, una colisión de taxis– entró apresuradamente en el salón sin detenerse a quitarse el abrigo ni el sombrero.

Pero semejantes pensamientos se desvanecieron en el momento en que vio a Madame Quibon tranquilamente sentada en uno de los sillones, ojeando distraída un ejemplar de *La Vie Parisienne* que había encontrado sobre la estantería. Al levantar ella la mirada de la frívola revista y observar Armand el semblante de belleza clásica y los fríos ojos marrones que parecían analizarlo de un vistazo, él se excusó y se quitó el sombrero.

–Lamento haberla hecho esperar. De haber sabido que venía usted... –y dejó la frase sin concluir.

Ella le tendió la mano para que se la besara y él percibió que tenía dedos cortos y fuertes y que cada uno de los tres entre el pulgar y el índice estaban adornados por un anillo grande y costoso: uno con un diamante solitario, otro con una esmeralda cuadrada rodeada de pequeños diamantes y el tercero con dos rubíes a juego.

Armand se quitó el abrigo y se sentó frente a ella. Ante él tenía a una mujer esbelta en mitad de la treintena, dotada de una belleza fría y algo intimidatoria, con el cabello negro como el azabache y los ojos marrón oscuro tan brillantes y duros como piedras preciosas. Vestía con gran elegancia una chaqueta sastre y una falda de crespón de seda fina que, a juicio de Armand, tenía el aspecto de ser de Chanel.

–Me acabo de enterar hace menos de una hora de que ha acordado usted una cita con Suzette esta noche –empezó ella, dejando muy claro que prefería no andarse con rodeos–. He venido enseguida, pues no es un asunto que podamos tratar por teléfono.

–Por suerte he regresado inmediatamente después de almorzar –dijo Armand con voz algo sarcástica ahora que comprendía que no se trataba de una visita amistosa.

–Era obvio que iba a quedarse en casa esta tarde, ahorrando energías para los esfuerzos que planea usted esta noche –dijo Fernande igualando su sarcasmo.

–Puesto que hablamos con tanta franqueza –dijo Armand–, quizá tenga la bondad de decirme a qué ha venido.

–Ésa es mi intención –replicó ella–. Ir directa al grano, Monsieur, quiero que cancele la cita de esta noche y deje en paz a Suzette. No quiero que se acueste con usted... ¿está lo bastante claro?

–¡Es usted insultante! –exclamó Armand–. Apenas sé cómo responderle sin ser igual de ofensivo. ¿Qué le da derecho a dictar lo que yo debo hacer?

–Suzette es mi protegida –dijo enérgicamente Fernande–. No permitiré que hombres como usted le arruinen la vida.

–¿Arruinarle la vida? ¿Llevándola a cenar y comprándole regalos? Es usted ridícula.

–¡Ambos sabemos lo que exige de ella a cambio de sus cenas y regalos! Suzette es mía y quiero que deje de molestarla.

–No comprendo lo que quiere decir –dijo Armand, pensando aceleradamente y llegando a sorprendentes conclusiones.

–No hay necesidad de disimular. Me ha entendido perfectamente –insistió ella.

–Sí, supongo que sí –dijo con una sonrisa repentinamente encantadora–, pero sin duda su pasión por Suzette no es correspondida... ella tenía un amante antes que yo, mi primo Pierre-Louis Beauvais.

—Si eso es a lo que usted llama amor, entonces antes de venir a París tenía más amantes de lo que usted se imagina —dijo Fernande con frialdad—. ¿Por qué cree que su padre le pegaba hasta hacerle moretones? Ha actuado desenfrenadamente desde los trece años y es un milagro que no se haya quedado embarazada cada año desde entonces.

—Y ahora usted la ha instruido en las artes de la supervivencia ¿no es eso?

Fernande le dirigió una mirada glacial y no dijo nada.

—Mi primo no me habló de usted. Me dijo que creía que tenía otro amante.

—¡Qué estúpido! —dijo Fernande burlona—. Suzette le dijo que no tenía ningún amigo, pero él no le creyó. Y cuando a Suzette empezó a molestarle la negativa de su primo a aceptar la simple verdad, él regresó a su estado primitivo de macho bárbaro y la azotó.

—Quizá —dijo Armand encogiéndose de hombros—. Pero si ha venido aquí para advertirme, ¿por qué no hizo lo mismo con él?

—No había necesidad. No ocupaba ningún lugar importante en los afectos de Suzette —respondió Fernande—. Era un tonto útil que la entretenía bien y le compraba ropa elegante. Ella le recompensaba del único modo que sabía. Pero parece ser que él no tenía bastante con disfrutar de los encantos de su magnífico y joven cuerpo: decidió que estaba enamorado de ella y le exigió afecto, ternura... en resumen, amor. Y cuando Suzette no le correspondió, se volvió salvaje y la echó de su vida para siempre atacándola a puñetazos y patadas.

—Creo que exagera un poco, Madame —dijo Armand sonriendo ante su relato—, pero creo que por fin la comprendo. Está usted enseñando a Suzette a abrirse camino en el mundo utilizando los maravillosos encantos que el buen Dios le ha concedido... como supongo que usted misma hace, si me permite decirlo en un espíritu de congratulación propio de una mente abierta y sin ánimo de ofenderla. Suzette fue desafortunada en la elección de Pierre-Louis, al que conozco y sé que es un hombre apasionado y colérico. Pero, si me permite decir unas palabritas de recomendación con respecto a mí mismo, yo soy un hombre tranquilo, sosegado, carezco de las molestias de una esposa o una familia, y soy al menos tan acomodado como mi primo. ¿Qué tiene que objetar contra mí como amante de Suzette?

–Me encanta ver que podemos hablar del tema de un modo racional y civilizado –dijo Fernande inclinándose hacia atrás y cruzando las rodillas sedosas bajo la negra severidad de la falda–. Los hombres suelen ser estúpidamente temperamentales para estas cosas. El motivo, ya que lo pregunta, son los celos por mi parte.

–Pero ¿por qué rayos iba a estar usted celosa de mí?

–Durante el breve tiempo que hace que Suzette le conoce, ella se ha formado una opinión demasiado elevada de usted para que yo pueda estar tranquila. Tengo la incómoda sensación de que Suzette es lo bastante joven e impresionable como para enamorarse de usted. Me niego lisa y llanamente a aceptar eso. Lo de usted y Suzette debe acabar ahora mismo.

–Le agradezco su franqueza –dijo Armand, halagado por lo que acababa de oír–, pero no sé por qué motivo voy a negarme el placer de la amistad con Suzette sólo por contentarla a usted.

Fernande le sonrió, confiada en su habilidad para doblegarlo a su voluntad. Se reclinó un poco hacia atrás en la silla, de modo que el movimiento de su falda permitió a Armand ver la elegancia de sus piernas enfundadas en medias de seda negras.

—Mi intuición me dice que usted sería mucho más comprensivo si yo fuera complaciente con usted —dijo ella suavemente.

—¡Ah... así que le gustan los hombres después de todo! —exclamó Armand con una amplia sonrisa.

—¡Pero qué ridículo es usted! —dijo Fernande, devolviéndole la sonrisa de una manera que no sólo era agradable, sino que constituía una promesa de placeres íntimos.

—¿Por qué dice eso, Madame?

—Porque todos los hombres que conozco imaginan que los doce o quince centímetros de cartílago que tienen entre las piernas les convierten en los reyes de la creación. Nosotras las mujeres tenemos una opinión muy distinta del valor de un miembro masculino. Pero como los hombres nunca crecen, cualquiera que sea su edad, y siguen siendo adolescentes toda la vida, nosotras debemos seguirles la corriente haciéndoles creer que los consideramos de suprema importancia.

Su mención de lo que tenía entre las piernas hizo que Armand sintiera una picazón precisamente ahí. Abrió un poco las piernas para atraer la atención de Fernande hacia el creciente bulto de los pantalones.

—Está en su derecho de mofarse de las aspiraciones masculinas, sin embargo la historia, la biología y la ciencia... sin mencionar las enseñanzas de la religión, nos dicen inequívocamente que el macho es el sexo dominante de nuestra especie.

—Ah, sí, no debemos perder de vista el dogma de la santa madre Iglesia —respondió Fernande con sarcasmo en la voz—. Con los sacerdotes y los científicos de su parte está convencido de que usted es el más importante en esta conversación. Y sin embargo, dudo que tenga mucho de lo que enorgullecerse. Es decir, si se atreve a dejármelo ver.

—¿Ver? —preguntó Armand, sin poder creer lo que oía.

—Su badajo, claro. Aunque su modo de mirarme las piernas intentando ver por encima de la falda me hace sospechar que ya no se encuentra en estado de reposo. Pero no se preocupe... usted quiere que lo vea, ¿no es cierto?

—Quiero que todas las mujeres bonitas del mundo lo vean —respondió, con absoluta sinceridad—, pero vayamos más al grano, Madame: ¿por qué quiere usted verlo?

—Puedo asegurarle que, salvo por un pequeño detalle, me resultaría del todo indiferente. Pero como me preocupo mucho por Suzette, tengo cierta curiosidad por ver el objeto con el que su delicado cuerpo ha sido penetrado; podríamos decir violado, pero contendré mis verdaderos sentimientos por educación.

¿Cómo ha de reaccionar un hombre apasionado cuando una mujer atractiva le expresa interés por ver su miembro más querido, sean cuales sean sus razones? Sobra decir que, durante la rara conversación que precedió a este momento, Armand había estado jugando a su juego habitual de desnudar a Fernande mentalmente e imaginar la elegancia de su esbelto cuerpo de pechos pequeños bajo el traje sastre negro. Como resultado natural, se encontraba en un estado que hacía del todo impropio llamar «badajo» a su equipo masculino, como Fernande había conjeturado. Se erguía enhiesto, constreñido contra su vientre por la ropa interior y reclamaba atención mediante un fuerte aleteo.

La idea de exhibirse ante ella en tal estado de excitación era de lo más fascinante. Y aún más, si eso era posible, cuando Fernande se desabrochó despaciosamente los botones negros de la chaqueta y la abrió. No llevaba ninguna bonita camiseta de seda debajo de la chaqueta, sólo el más diáfano de los sujetadores para contener los pechos en forma de pera. El fino encaje del sujetador no ocultaba nada. Armand contemplaba encantado los pequeños pezones rosados que aparecían entre el encaje, pensando en cómo sería acariciarlos con la punta de la lengua.

–Como muestra de mi buena voluntad, puede usted mirarme –dijo Fernande.

Armand estaba seguro de que cualquiera que fuera su opinión sobre él como amante de Suzette, no había ninguna buena voluntad en ello. Pero no era el momento de investigar sobre los motivos, no cuando Fernande se estaba levantando los suaves pechitos del sujetador y arqueando la espalda para hacerlos más prominentes.

–Su belleza es realmente devastadora, Madame –dijo Armand, con verdadera sinceridad, pues no pudo reprimir un suspiro de placer al ver a Fernande levantarse los senos en las manos adornadas con piedras preciosas de un rojo, azul y verde luminosos.

En su mente concibió las deliciosas imágenes de Fernande desnudando sus pequeños pechos para que Suzette jugara con ellos y la correspondiente estampa de Fernande desabrochando la blusa de seda de Suzette para descubrir y besar sus orondos senos... Y luego, las dos mujeres con una mano en las ropas de la otra acariciándose la cálida entrepierna, suscitándose, con dedos pausados, pequeños temblores de placer por todo el cuerpo. Se las imaginó desnudándose del todo, Fernande y Suzette desnudas en la cama juntas, con los muslos entrelazados y los vientres apretados el uno contra el otro...

Fernande cogió el bolso del brazo del sillón, un bolso plano, elegante, oblongo, de gamuza negra con su monograma en letras doradas. Hurgó en él unos instantes antes de sacar un pañuelo del más fino lino de batista, con un amplio ribete de encaje. Armand pensó que se disponía

189

a enjugarse los ojos cuidadosamente en una extraña simulación emotiva, pero enseguida se demostró que estaba equivocado: abrió la boca y apretó el pañuelo contra ella y luego sostuvo el pequeño cuadrado blanco para mostrar la huella escarlata y oval de sus labios abiertos.

Armand fue incapaz de quitar ojo del pañuelo de encaje cuando ella se levantó graciosamente y atravesó en cuatro zancadas el espacio que los separaba. Fernande le extendió el pañuelo sobre la rodilla mientras ella se sentaba en el brazo del sillón y le pedía que estirase las piernas, o se lo ordenaba, más que pedírselo en una voz baja y sin inflexión. Se lo pidiera o se lo ordenara... en el estado de excitación de Armand no le importó lo más mínimo. Estiró las piernas para que Fernande le desabrochara los pantalones y él la miró con ansiedad a la cara mientras ella desnudaba sus secretos. La expresión de Fernande era de tranquilidad, frisando un moderado interés.

–¡Aquí está! –exclamó Armand triunfante cuando ella le levantó la camisa y dejó que el tieso artefacto saltara con arrogancia entre la rendija de los calzoncillos.

Fernande lo miró unos momentos, sin hacer el menor intento por tocarlo.

–Hmmm –dijo ella, profiriendo un ruidito con la garganta que podía significar cualquier cosa, desde un burlón «¿Así que era esto?» hasta un rutinario «¡No está mal!», mientras repasaba su orgullo masculino con una parsimonia casi insoportable.

–Cierta dama distinguida y con estilo me aseguró que su aspecto apasionado le resultaba fascinante –dijo Armand, fortaleciendo su moral con el recuerdo de las palabras de Yvonne.

–Algunas mujeres son más fáciles de engañar que otras –replicó Fernande–. No veo motivo para que se sienta orgulloso de sí mismo por haber incrustado este órgano distendido en el cuerpo de Suzette. Podía haberle hecho daño... las mujeres somos muy sensibles entre las piernas. Pero no creo que eso le importe a usted nada.

—Precisamente porque las mujeres son tan tiernas entre los muslos disfrutan teniendo a un hombre dentro —dijo Armand—. Usted ha estado casada, Madame, aún conserva el anillo en el dedo, y por tanto no debe ser ajena a los placeres de un hombre acostado sobre su vientre.

—¡No me recuerde aquellos días! —exclamó ella—. Yo tenía veinte años cuando mi familia me casó con un hombre diez años mayor que yo, un viudo que ya había enterrado a una esposa.

—¿Se casó con un asesino? —preguntó Armand con incredulidad.

—Con un auténtico asesino a los ojos de Dios, aunque no de la ley. La dejó preñada y ella murió al dar a luz a su hijo. Y yo apenas era una niña, no sabía nada acerca de la naturaleza de los hombres, él me tumbaba de espaldas y me abría de piernas, noche tras noche, para satisfacer sus brutales deseos en mi cuerpo. Yo le suplicaba, pero él era inflexible.

Armand descubrió que tal como estaba sentada Fernande en el brazo del sillón, sus senos le quedaban exactamente a la altura de la cabeza para que descansara en ellos. Armand apretó la mejilla contra los tiernos pechos desnudos, ladeaba la cabeza para alcanzar los pezones rosados con la lengua cuando Fernande lo apartó y rápidamente se abrochó la chaqueta. Armand no tuvo más remedio que contentarse con apoyar la mejilla sobre el tejido de la chaqueta para sentir la suavidad que guardaba debajo.

—Es evidente que ha tenido la desgracia de casarse con un hombre carente de ternura. Pero ahora no puede considerarse una niña, ni ignorar los ardides de los hombres. Pues, lo cierto es que usted es amiga íntima de alguien a quien conozco: Marc Leblanc. ¿Cómo explica eso?

–Mis amistades no le conciernen –dijo Fernande ruborizándose ferozmente–. Dudo que sea capaz de apreciar el íntimo y especial afecto que ha nacido entre Monsieur Leblanc y yo, pero intentaré hacérselo comprender.

–Le estaré muy agradecido –respondió Armand, con más que una pizca de ironía en la voz.

Por fortuna, Fernande no lo notó. Le miró la larga columna rosada de modo abstraído y silencioso, mientras parecía estar ordenando sus pensamientos.

–Si conoce a mi querido amigo Leblanc, entonces sabrá que sólo le faltan uno o dos años para llegar a los setenta –dijo por fin–. Su interés por las mujeres hermosas es más fuerte que nunca, pero su capacidad para utilizar sus cuerpos para su satisfacción ha desaparecido. En los dos o tres años en que he sido su amiga y confidente, ni siquiera una vez ha intentado hacerme nada. Pero como es un amigo tan íntimo, intento complacerle lo mejor que puedo.

–¿Y cómo lo hace? –preguntó Armand con franco escepticismo.

–Me desnudo y permito que me vea desnuda.

–¡Ah, qué poético! –exclamó Armand, sin creer una palabra de lo que le decía–. Me imagino la escena en el salón de Leblanc: usted sentada en cueros en uno de los sillones Segundo Imperio, mientras él conversa con usted de arte y admira su belleza desde lejos. ¿O le pide que se siente al piano e interprete un pequeño *Nocturno* de Chopin para él mientras se queda de pie con una copa de coñac en la mano y observa el suave movimiento de sus senos desnudos?

Le parecía que si sus palabras contenían algo de ver-

192

dad, Leblanc parecía recibir notablemente poco a cambio de los valiosos cuadros que le regalaba.

—Es usted un bárbaro —dijo Fernande pensativa–, y sé que es usted incapaz de comprenderlo. Marc Leblanc es un hombre de una sensibilidad exquisita. Cuando me siento desnuda delante él, él me adora, se arrodilla y me besa los pies. Y a veces, sólo a veces, me pide permiso para besarme los senos.

Armand se encogió de hombros y dijo:

—Cada cual tiene sus gustos.

—Oh, usted pediría más, ambos lo sabemos muy bien —exclamó Fernande, con algo de desdén en la voz mientras gesticulaba hacia su olvidada tranca–. He tenido amigos como usted en el pasado y sé cómo tratarlos.

—Estoy seguro de que sí —dijo Armand con retintín–. He estado en su apartamento y sé que vive con elegancia.

—No se engañe —dijo ella enseguida–. El éxito no lo he cosechado tumbándome de espaldas.

—Entonces, ya que estamos hablando con tan deliciosa franqueza, querida Madame Quibon, quizá me permita preguntarle cómo lo ha logrado —respondió él, ahora con genuino interés.

—Siendo encantadora —dijo ella bajito.

Antes de que Armand reaccionara con una escéptica réplica, Fernande se movió del brazo del sillón para arrodillarse frente a él mientras le envolvía el oscilante puntero con el pañuelo de exquisito encaje. Armand miró con los ojos muy abiertos la brillante mancha roja de los labios rodear la henchida cabeza de su miembro impaciente. Fernande se sentó sobre los talones para calcular el efecto de lo que había hecho y luego le sonrió.

—Supongo que disfrutará metiendo esa horrible cosa suya en la boca de una mujer.

—Oh, sí, casi tanto como metiéndosela entre las piernas.

193

–Labios tiernos y húmedos, pintados de rojo intenso...
y abiertos para que usted se deslice dentro de ellos –dijo
Fernande–, al igual que las marcas rojas de mis labios
que ahora lo abrazan.

Armand contemplaba como hipnotizado la huella escarlata de su boca sobre el pañuelo. Se movía arriba y
abajo de su velado ariete al ritmo convulso de Fernande,
con la mente encandilada por el engaño, llegando casi a
creer que su boca estaba realmente tragándole y engu-
lléndole. Se le ocurrió algo que le hizo proferir un pequeño jadeo triunfal.

–Y la boca de Suzette... ha estado en su boca más de
una vez.

–Entonces haga acopio de todos sus recuerdos, pues
eso es lo que le queda ahora –replicó Fernande.

La mano de Fernande iba y venía en breves y rápidas
sacudidas produciéndole un espasmo en el vientre que le
anunciaba la inminencia de la emisión del éxtasis.

–Debe hacerlo ahora –dijo ella con serenidad.

Hablaba en un tono que no tenía el menor rastro de
dominación, pero que no permitía ambages ni evasión,
ni admitía la menor posibilidad de desobedecer sus deseos. Armand comprendió y respondió con un largo gemido de gozo al sentir manar su esencia como una fuente.
En el rostro glacialmente bello de Fernande se difundió
una expresión de malicioso triunfo mientras le miraba
empapar el pañuelo de puntillas.

Cuando se recuperó, Fernande estaba sentada en el
sillón mirándole, fuera de su alcance, con las piernas cruzadas como para proteger el tesoro que ocultaban sus
muslos. Armand se secó lo mejor que pudo con el trocito
de lino y encaje que ella había dejado enrollado sobre su
decaído proyectil, luego se abrochó los pantalones. Dejó
caer el pañuelo bajo el sillón para recogerlo más tarde y,

a pesar de la gratificación que acababa de experimentar, su mente distaba mucho de encontrarse tranquila, se hallaba hecha un torbellino de emociones confusas, principalmente de aversión hacia Fernande.

La contempló en silencio, obligado a admitir que Fernande había reconocido su susceptibilidad ante las mujeres hermosas y se había aprovechado instantáneamente de ella. Le había manipulado con mucha astucia, con tanta astucia como Dominique, aunque no había despertado el interés por sus encantos, como los juegos de Dominique. No, para distraerle del placer que sentía con Suzette, Fernande estaba dispuesta a entregarse a él. Armand no tenía la menor duda de que la querida Fernande tenía muchos más trucos en su repertorio, tan excitantes como el primero, con los que entretenerle, hasta que lo hubiera dejado seco y agotado su interés cuando estuviera con Suzette.

Y lo que molestó más que nada, como indicativo inconsciente de su repugnancia, era que Fernande no le había tocado con la mano ni por un momento. Todo se había efectuado a través del pañuelo que ella había sacrificado a su pasión.

«Soy demasiado vulnerable a los encantos de las mujeres hermosas –dijo para sí–, una debilidad de carácter que resulta molesta y maravillosa, y maravillosamente molesta y molestamente maravillosa a la vez.»

Lo sabía de una manera inconsciente desde que tenía dieciséis años, pero se había visto obligado a reconocerlo la mañana en que Yvonne lo tentó, para complacerla sobre la *chaise-longue* de blanco satén, pues no tenía otra cosa en que ocupar una hora libre de la que disponía antes de salir a almorzar.

«Pero ¿qué estoy diciendo? –se preguntó Armand a sí mismo–; ¿qué mejor razón puede haber que el deseo espontáneo? ¿Y qué tiene que ver la razón con los placeres que se dan entre sí los hombres y las mujeres?»

No obstante, ser susceptible era una cosa, convertirse en una víctima permanente, otra. En el salón, Yvonne había sido el cazador y él la presa, fue Yvonne quien lo poseyó a él por la mañana, de eso no había duda, a pesar de que era ella la que estaba tumbada de espaldas. Pero más tarde, él pudo invertir las tornas y cazar a Yvonne como presa; la tenía inmóvil, tumbada de espaldas, pero con las piernas verticales y la hendidura de finos labios completamente desnuda para que él jugara con ella como le viniera en gana.

Había sido la furtiva caricia de las medias la que le había excitado en aquella ocasión; el contacto de la fina seda negra contra la boca y la húmeda lengua. Eso y el entusiasmo de saber que Yvonne, sin quererlo, se había puesto a su merced, de modo que podía dar rienda suelta a todos sus impulsos, sin importarle en absoluto las preferencias de ella. De pie entre sus piernas levantadas le había espetado en su estilete dos veces en media hora, obligándola a compartir su éxtasis a pesar de haber expresado a voz en grito su indignación por ser tratada brutalmente, como ella insistía en llamarlo.

Entre estos dos recitales, le había sujetado los tobillos bajo sus axilas para tenerla tan indefensa como una tortuga de mar boca arriba en la arena. Y le había acariciado con el dedo el higo maduro hasta que explotó y derramó su jugo, no sólo una vez, sino tres. Según las peculiares creencias de Armand había poseído verdaderamente a Yvonne esa tarde: con los dedos la había poseído por completo y, según su modo de pensar, cierta parte de ella era suya para siempre. Después Yvonne estaba tan profundamente fatigada que tenía un aspecto pálido bajo el maquillaje –casi macilento para una mujer tan atractiva– y se había recostado en su hombro todo el camino de la escalera hasta que él le encontró un taxi la envió a casa.

Al día siguiente Yvonne le telefoneó para anunciarle su inminente llegada con el fin de reanudar sus juegos, pero él había salido y no tomó medidas ante el discreto mensaje que le transmitió Madame Cottier. Y ahora se enfrentaba a otra depredadora, Fernande Quibon, que acechaba a los hombres, tomaba nota de sus fragilidades y luego se abalanzaba sobre ellos para devorar su esencia. Ya había saltado sobre él una vez y hundido las garras en su carne, figuradamente hablando, claro. Armand se preguntaba:

«¿Qué haría ella en un bis, ponerse los finos guantes negros y volver a drenarme las fuerzas?»

Pero fuera lo que fuese lo que Fernande tenía en mente, Armand estaba decidido a que no sería una repetición de la cínica manipulación a la que le acababa de someter. Al igual que sucedió con Yvonne cuando acudió a su apartamento para repetir su pequeño triunfo, había llegado el momento de afirmarse a sí mismo.

—Lamento informarle, Madame —dijo Armand en tono formal—, de que no soy más comprensivo ahora que ha sido usted complaciente conmigo de lo que era antes. Le agradezco cordialmente ese agradable interludio, pero tengo intención de seguir siendo amigo íntimo de Suzette y verla tan a menudo como me plazca. ¿Qué le dice ahora su intuición?

—Me dice bajito que es usted uno de los afortunados que poseen el inapreciable don de una sensualidad insaciable —respondió ella, sin afectarle en lo más mínimo los modales de Armand, o al menos no lo demostró.

—Mientras que su sensualidad está estrictamente controlada por su razón y a su disposición para servir a sus planes —dijo Armand—. Bueno, ha sido muy agradable conocerla, Madame Quibon, pero espero que no me crea maleducado si le sugiero que ha llegado el momento de poner fin a esta visita.

—Maleducado no, pero sí equivocado —respondió con calma—. Quedan muchas cosas por zanjar entre usted y yo.

—No se me ocurre ninguna... no estoy dispuesto a hablar de Suzette con usted.

Fernande no respondió. Le miró a la cara durante unos momentos, como decidiéndose, luego descruzó las piernas y se reclinó hacia atrás en el sillón para levantarse la falda lentamente por encima de las rodillas con sus manos llenas de anillos. A pesar de su decisión de no volver a ser tentado, Armand se descubrió a sí mismo contemplando amorosamente el resplandor de los esbeltos muslos a través de la transparente seda negra de las medias. No llevaba liguero, las medias se sujetaban mediante unas ligas negras que se revelaron cuando el bajo de la falda se elevó sobre los sombreados y perfumados misterios que ocultaban las piernas.

La falda detuvo su camino ascendente cuando el dobladillo estaba a medio camino entre las rodillas y las ingles. El corazón de Armand empezó a latirle de gozo en el pecho al contemplar la lechosa carne de los esbeltos muslos de Fernande por encima del límite de las medias. Deseaba tanto besarlos, que su aparato —aunque ya había sido reciente y competentemente manipulado— volvió a ponerse en plena forma. Los penetrantes ojos de Fernande notaron el gran bulto de los pantalones y sonrió ante el fácil éxito de su campaña.

—Es usted un hombre con mucha más experiencia de los cuerpos de las mujeres que lo que debería estar permitido. ¿Qué opina de mis piernas... las encuentra elegantes?

—Son exquisitas.

–Creí que le agradaban porque el efecto que tienen sobre usted es bastante evidente. ¿No se encuentra un poco incómodo en el presente estado, confinado en esos pantalones? Me parecen tensos y apretujantes.

–¿Qué insinúa? –le preguntó en voz queda.

–Desabotónese otra vez los pantalones –dijo con una sonrisa reveladora–. Desabróchese los pantalones, deje que salga su distintivo masculino. Quizás se me ocurra algo para él.

Armand cerró los ojos un segundo para luchar contra el apremio de hacer lo que ella le sugería. Estaba perdiendo la iniciativa... debía hacer algo antes de que Fernande lo volviera a tener bajo su hechizo.

–Tengo una idea maravillosa –dijo Armand con una sonrisa mientras empezaba a desabrocharse los pantalones–. Venga aquí y desabróchese la chaqueta y permítame que frote mi distintivo masculino entre sus pechos.

–¡Ni lo sueñe! –respondió de inmediato, en tono de indignación.

–Pero no he olvidado que me ha dicho que nuestro mutuo amigo Marc Leblanc goza del privilegio de besarla cuando usted se desnuda para él. A menos que se haya vuelto senil desde la última vez que lo vi, estoy convencido de que hace más que besarlos. Seguramente los acariciará y se sacará el viejo y arrugado péndulo y lo apretará contra ellos.

Para evitar que se entrometiera más en sus acuerdos privados con Leblanc, Fernande se llevó el índice de la mano derecha a la boca y lo chupó hasta que estuvo muy húmedo. Armand miraba con atónito placer cómo la mano desaparecía bajo la falda.

–Pero ¿qué está usted haciendo...? –consiguió suspirar por fin.

–Algo que usted jamás tendrá el placer de hacer... me

estoy acariciando el *jou-jou* –le dijo con los ojos entornados.

Libre de la prisión de los pantalones, el ansioso compañero de Armand se tensó hacia arriba, temblando. Y al observar el rítmico movimiento del brazo de Fernande, sintió que se sumergía en un océano de rosado deseo; y disponiéndose a someterse por última vez, en un intento por salvarse, se aferró a una idea demencial.

–Puesto que parece decidida a forzarme a una especie de duelo a muerte para ver quién se queda con Suzette –dijo, apenas capaz de mantener las manos apartadas del entusiasta amigo que brincaba en los pantalones desabrochados–, permítame establecer las únicas condiciones en las que aceptaré su desafío.

–Le escucho –dijo Fernande–. Continúe, por favor. Pero no intente hacerse el listo conmigo, no es su estilo. Es absurdo hablar de condiciones; simplemente está intentando confundirme.

Fernande no estaba en absoluto confusa, claro está, era totalmente dueña de sí y de la situación, era el pobre Armand quien confundía las emociones que manaban en él ante la deliciosa visión que se le presentaba: Fernande jugando de modo tan distendido consigo misma. Hizo un último esfuerzo supremo antes de que él temblequeante felón que había desnudado volviera a traicionarlo de nuevo y lo entregara al poder de Fernande.

–Propongo una prueba de fuerza –dijo Armand, con voz temblorosa–. Ambos haremos el amor a Suzette a la vez y, cuando esté a punto de asaltarle el momento crítico, veremos a quién presenta su bolsillito para que lo rellene.

Fernande sacó la mano de debajo de la falda y se puso en pie. Le miró con aplomo a los ojos mientras doblaba el largo espinazo para cogerse el bajo de la falda y levantarlo lentamente por los muslos. La boca de Armand se abrió en un pequeño suspiro de admiración cuando los confines de las medias negras de seda volvieron a descubrirse para él y luego la pálida carne por encima de ellas. Se levantó la falda aún más, como si se tratara del telón que se iza en el teatro cuando la función está a punto de empezar, hasta que Armand vio el borde de encaje de las bragas.

Como Fernande vestía una falda negra y brillantes medias de seda negras esperaba, si más no por ese motivo, que su ropa interior fuera del mismo color. De modo que con un sobresalto de sorpresa y placer observó que las elegantes bragas de seda eran de un morado suntuoso. Era un color que despertaba la imaginación, opulento, voluptuoso y, sobre todo, apasionado.

Fernande se quedó inmóvil y en silencio, casi posando para él como la modelo de un pintor, mientras Armand contemplaba arrobado, primero la delicada curva que formaba el vientre en la prenda morada y luego la pequeña prominencia de la entrepierna, donde la fina seda le ocultaba el vellón y, por último, la cremosa suavidad de la carne entre las bragas y las medias. La extensible verga de Armand tembló de tal modo de la agonía de la anticipación, que Fernande sonrió.

–Pero qué hermosa es usted –suspiró Armand.

Por diezmillonésima vez en su vida, más o menos, lamentó no haber educado ni desarrollado con propiedad su talento para la pintura. Si fuera pintor, podría captar en el lienzo el delicioso contraste de colores que mostraba Fernande: la interacción entre las brillantes medias negras, los muslos de piel pálida y la seda morada. Y el exquisito contraste entre esa revelación y la serenidad de su semblante. Qué bien comprendía ella las fragilidades masculinas... Armand estaba excitado hasta el frenesí, como si se hubiera desnudado del todo para él, ¡y no hacía más que dejarle ver su ropa interior!

Pero lo mejor estaba por venir, pensó Armand. Cuando Fernande juzgó que ya estaba preparado para ascender al próximo estadio de embriaguez sensual, hundió los pulgares en la cinturilla de las bragas y empezó a bajárselas, deteniéndose para permitir a Armand saborear al máximo cada delicia. Primero descubrió el ombligo, un hoyuelo pequeño y perfectamente redondeado que estaba pidiendo a gritos ser explorado por la punta de una lengua húmeda. Y cuando Fernande vio temblar las manos de Armand en el reposabrazos del sillón, se bajó más las bragas, hasta mostrar el límite de su mata de rizos castaños, el castaño más oscuro que recordaba haber visto en una mujer, tan oscuro que era casi negro.

Y sin embargo, ¡lo mejor estaba por venir! Su orgullo saltaba con tanta energía que lo cogió en la mano, lo mantuvo quieto y contuvo el aliento cuando Fernande se bajó las bragas por los muslos hasta los bordes de las medias y exhibió el vellón con arrogancia. No era amplio, se reducía a una pequeña zona, pero el espesor y la viveza del color eran deliciosos, y el efecto en Armand tan poderoso que apenas podía evitar el vaivén de la mano sobre el henchido venablo, con el fin de extraer un sentido tributo a los encantos íntimos de Fernande.

En cuestión de segundos se había quitado las bragas del todo y volvía a alisar la falda hacia abajo para ocultar todo lo que le había permitido ver. Fernande sonrió ante el desconcierto que expresaba su semblante y, al cabo de otro segundo se arrodillaba junto a él, completamente vestida para cualquier intención y propósito, con la chaqueta negra sastre abrochada y la falda que le tapaba las piernas hasta las rodillas. Pero para Armand el secreto que compartía con ella era demasiado breve y sobrecogedor;

el secreto de que bajo la falda estaba desnuda, con los rizos castaños oscuros y los esbeltos muslos desguarecidos de sus ojos fisgones y manos escudriñadoras; si es que un hombre tenía el suficiente arrojo para intentarlo.

Y allí, entre las manos enjoyadas, sujetaba para deleite de Armand la prueba de su secreta desnudez: las bragas moradas de encaje que se había quitado. Sin palabras, Armand alargó una mano vacilante para tocar la encantadora y frágil prenda, con tanta emoción como si estuviera tocando el cuerpo desnudo de Fernande.

–¡Ah, pero qué maravilla! –dijo Armand respirando con un temor reverencial mientras deslizaba los dedos por la lisa seda y aleteaba sobre la minúscula prenda que había cubierto los espesos rizos y el encanto de carne que yacía entre ellos.

Fernande sonrió astutamente y tensó la seda para que él frotase los dedos con delicadeza sobre la parte que captaba su atención.

–Es usted tan presuntuoso como esperaba –le dijo sonriendo de nuevo ante su impaciencia.

La tal Fernande Quibon conocía muy bien el jueguecito que le proporcionaba una cómoda casa y ropas elegantes: el juego de excitar a los hombres hasta el borde del delirio sin implicarse ello, de atarlos sin comprometerse ni física ni emocionalmente. Primero los envalentonaba un poco para desatar sus fantasías, luego un toque de disuasión para frenarlos, seguido por otro pequeño acto aleccionador y así sucesivamente, hasta que el hombre no podía soportarlo más y suplicaba que le aliviase su pasión, después de lo cual ella podía pedirle lo que se le antojara.

De Armand no esperaba ninguna contribución económica ni deseaba una amistad a largo plazo. Al contrario, su intención era librar a Suzette de sus atenciones.

203

Pero Fernande empleaba sus artes sobre él para ganar la primera mano y Armand jadeó estrepitosamente cuando ella le envolvió las bragas moradas alrededor de la verga dura, cuidándose mucho de no tocarle la carne con la mano desnuda. Se sentó sobre los talones, observándole temblar de placer ante la suave caricia de la cálida seda.

–¡Qué increíble! –suspiró–. Este retazo de seda de color vivo que ha besado el bonito *jou-jou* entre sus muslos ahora me acaricia...

–Le resultará muy excitante –dijo Fernande, a modo de afirmación, sin permitir el menor asomo de duda.

–Ah, pero me ha dejado ver su *bijou* y lo que he visto era encantador –dijo Armand jadeante, bajando la vista hacia el envoltorio de seda que oscilaba sin pausa en su regazo.

–¿Le parece mi *bijou* encantador? –le preguntó con una sonrisa.

–¡Exquisito! –se lo confirmó con vehemencia–. Daría lo que fuera por tener el placer de besarlo.

–No es usted el primer hombre que me lo pide –respondió Fernande–. ¡No, nunca, nunca, nunca! Si usted fuera una hermosa jovencita, la respuesta sería muy distinta. Me desnudaría y me arrodillaría sobre usted ahí sentada, con las piernas muy abiertas para que usted me besara para solaz de su corazón.

–Es usted cruel atormentándome con ideas de placer cuando no tiene la menor intención de hacerlas realidad –suspiró Armand.

–No soy yo la cruel –dijo Fernande con una amplia sonrisa–. Es su destino trágico: ha tenido la desgracia de nacer con este pegote. Usted lo tiene en alta estima, supongo, como hacen los hombres en su estúpida vanidad, pero esa presencia significa que su deseo de tocar mi *bijou* jamás se cumplirá.

La fina sonrisa persistió en el rostro de Fernande al comprimir «ese pegote» en su envoltorio de seda morada entre las palmas de las manos enjoyadas.

—Pero he tocado a la querida Suzette y la he besado hasta que se retorcía de éxtasis y me suplicaba que le metiera el émbolo y la desgarrase —se vengó él.

—¡Violador! —exclamó Fernande, contrayendo el pálido semblante en una mueca de rabia—. Sólo un ser vulgar hablaría de ella con tan poco respeto. ¡Es suficiente! Esas condiciones con las que intentaba confundirme, un acuerdo por el que usted la dejara en paz... ¿cuáles eran?

—Una competición de cariño entre usted y yo, con Suzette como premio —dijo, intentado que su voz sonara fuerte y enérgica—. Le haremos el amor a la vez, la besaremos y la acariciaremos juntos, cada uno a su manera, ninguno de los dos molestará al otro.

—¡Qué sugerencia más grotesca! —exclamó Fernande.

—Entre ambos la excitaremos muy rápido hasta el extremo que ella se volverá hacia uno de los dos para el tierno *coup de grâce* y veremos si es su lengua o mi masculinidad lo que prefiere entre las piernas para llegar al éxtasis. Si la elige a usted, entonces es suya y nunca más volveré a verla. Pero si me prefiere a mí...

—¿Qué? —le preguntó Fernande—. ¿Cree que voy a conformarme con permitir que se mude aquí con usted y no volverla a ver nunca más? Es usted más arrogante de lo que imaginaba.

—Esperemos y veamos cuál es el resultado —dijo Armand, que no tenía la más mínima intención de invitar a Suzette, ni a ninguna otra mujer, a vivir en su apartamento—. ¿Acepta mis condiciones?

—¡Claro que no!

—¿Tan insegura está usted de sus afectos después de ser su amante y protectora durante tantos meses? Admí-

205

talo, Madame, está con usted no porque le tenga ninguna estima, sino porque le da un hogar mucho más cómodo del que podría encontrar sola. Si mi estúpido primo Pierre-Louis le hubiera ofrecido un apartamento propio y una generosa renta, quién sabe... quizá ya la habría perdido.

–¡Qué tontería! –replicó Fernande–. Sus palabras demuestran la veracidad de lo que he dicho antes: al igual que todos los hombres que he conocido usted cree que la longitud del cartílago que tiene entre las piernas le convierte en el rey del mundo y amo y señor de las mujeres. Pero no está haciendo más que engañarse a sí mismo de modo estúpido, créame. Suzette se divierte con los hombres, pero sólo me adora a mí y nunca me dejará, ni por su brutal primo ni por usted, por muy superior que usted se crea.

–Y no obstante teme usted aceptar mis condiciones, así que ¿cuál de nosotros se está engañando a sí mismo? –le preguntó Armand.

–¿Temer yo? –dijo, arqueando las finas cejas negras–. Está usted en un error, Monsieur.

–¿Entonces acepta?

–¡Qué absurdo es usted! Ya he visto todo lo que tiene que enseñar –dijo Fernande y le metió mano entre los muslos para agarrar la columna envuelta en seda que se erguía entre los pantalones desabrochados.

–Entonces sabe que seré un formidable competidor por el afecto de Suzette –respondió él, negándose a ser intimidado.

–¿Formidable? ¡Nunca! Estos pocos centímetros de carne congestionada es todo lo que usted tiene que ofrecer a Suzette... no es posible que crea impresionarme y mucho menos preocuparme.

Sus manos brillantemente enjoyadas le masajeaban la lanza a través de la seda.

–Yo tengo una llave que encaja en su cerradura –susurró Armand, con el vientre estremecido de temblorosos placeres debido a la manipulación de Fernande–, mientras que todo lo que usted puede ofrecerle es otra cerradura.

–Lo más fácil del mundo sería provocarle un pequeño orgasmo –dijo Fernande ignorando su insulto–, pero ¿es ésa la cuestión? Los hombres son insaciables en sus deseos... No hace más de un cuarto de hora que manchó un pañuelo impecable. La mujer que es tan idiota como para entregarse a un hombre, enseguida descubre que no es más que una esclava, hasta que le plazca al tirano al que se ha sometido.

–Usted no se ha sometido a mí –suspiró Armand de placer–. El truco con su pañuelo sólo me ha demostrado que es usted incapaz de sentir pasión.

–¡Ja! Aclaremos esta estupidez de una vez por todas –exclamó Fernande–, y del modo que usted ha sugerido... así se convencerá sin la menor sombra de duda de lo desechable que es usted.

–¿Cuándo quedamos? –preguntó Armand lánguidamente–. Si me permite recordarle, Suzette y yo no estamos disponibles esta noche...a menos que desee usted unirse a nosotros en la cama cuando volvamos de bailar. ¿Digamos a eso de las dos de la madrugada?

–Veo que es usted un comediante –respondió Fernande en voz baja.

–Entonces ¿cuándo dirimiremos nuestras diferencias? –dijo Armand jadeando, incapaz de quitar los ojos de las bragas de seda moradas a través de las cuales le acariciaba.

–Ahora mismo –contestó ella–. ¿De acuerdo?

–¿Telefonearemos a Suzette para que se una a nosotros aquí?

—Eso ni hablar –dijo Fernande, aquietando las manos de repente–. Iremos a mi casa, ¿de acuerdo?

Se hundió grácilmente hacia atrás sobre los talones y se desabrochó los botones negros de su chaqueta sastre. Armand contempló en trance cómo se llevaba las manos a la espalda para desabrocharse el sujetador y desnudar sus pechitos de pera.

—En su casa –consintió soñador–. Muy bien... estoy más que dispuesto, gracias a usted. Vamos a ir ahora mismo.

—Ciertamente –respondió ella–, pero primero debemos asegurarnos de que estamos de acuerdo del todo con las condiciones en que se realizará este estúpido duelo entre ambos. Cuando haya usted perdido, de eso no me cabe ninguna duda, será embarazoso y desagradable verlo romper a llorar de rabia y afirmar que le han engañado.

—Sí, aclaremos estos asuntos por todos los medios –murmuró él, mientras palpitaba su verga erecta–. Punto uno: cada uno de nosotros tendrá libre acceso a todas las partes del cuerpo de Suzette. Punto dos: ninguno de nosotros obstruirá deliberadamente ninguna caricia que el otro haga a Suzette. Punto tres: hay...

—Hay una zona ambigua –dijo Fernande con voz pensativa mientras se acariciaba los pechos de piel pálida y los pezones rosados–. Ese segundo punto suyo necesita cierta explicación. Por ejemplo, suponga que estoy acariciando el *bijou* de Suzette cuando a usted se le ocurre meter su carne dura en él. No podrá hacerlo debido a mis dedos... pero no se puede decir que esté obstruyéndole deliberadamente. ¿Lo interpreta usted también así?

—Sí, eso parece razonable –dijo Armand en un murmullo, careciendo de decisión para retirarle la mano–, y a la inversa, claro está... no será obstrucción deliberada cuando le resulte imposible acariciar el melocotón de

Suzette porque yo lo haya abierto y me encuentre dentro de él.

–No tema por mí –le dijo con una sonrisa fina mientras lo zangoloteaba enérgicamente–, usted será el derrotado, no yo. La idea de que dispondrá de la oportunidad para meterle «esto» a Suzette es ridícula.

–Ya lo veremos –dijo Armand, débilmente mientras ella le cogía la verga envuelta en seda entre las manos y la acariciaba–. Pero insisto en que debe dejar lo que está haciendo ahora mismo.

–Estoy segura de que lo hará –dijo en voz baja.

A Armand, medio mareado de placer, le pareció que el mundo se había vuelto del revés; apenas podía creer que había pronunciado tales palabras, que le estaba pidiendo a una mujer hermosa que dejara de jugar con él.

Las manos de Fernande se detuvieron, pero aún no había acabado con él.

–Mis pechos –dijo, moviendo un poco los hombros para hacer que sus bellezas desnudas se balancearan–. No me ha dicho que le parecen bien formados, ni siquiera ha intentado besarlos cuando estaba sentada en el brazo del sillón.

Armand le miró los pechos en forma de pera y sintió que su extensión saltaba en las manos de Fernande.

–Usted acusa a los hombres de ser unos tiranos –susurró de gozo–, pero es usted la tirana, Madame.

–Empieza a comprender. Una pequeña recompensa le alentará. ¿Qué le parece? Ah sí, hágalo... haga el amor a mis bragas, Armand.

A pesar de todo lo que había sucedido entre ellos, era la primera vez que empleaba su nombre. Este tono de intimidad reciente tuvo un poderoso efecto en Armand –como ella pretendía– y empezó a bregar en la seda morada que sujetaba su reciura entre las dos manos.

–¿Le gusta? –preguntó ella bajito–. ¿Es como si me hiciera el amor en el *jou-jou*? Esto es lo más cerca que estará nunca, Armand.

Pero él estaba demasiado profundamente inmerso en las sensaciones de éxtasis para oír sus palabras. Se le escapó un grito incoherente mientras su cuerpo se convulsionaba y libraba a la autoridad de Fernande un tributo que excedía todo lo imaginado. Armand echó hacia atrás la cabeza y cerró los ojos; ella miraba las bragas moradas enrolladas en torno a la verga saltarina. Una mancha oscura empapó la fina seda cuando Armand acometió el último empellón húmedo.

–Creo que por hoy hemos asistido al final de su interés por Suzette –dijo Fernande con una amplia sonrisa.

8

El combate del amor

De camino a su casa en el taxi con Armand, parecía como si Fernande hubiera perdido algo de la ilimitada confianza en su dominio sobre Suzette que antes había expresado. Al menos ésa era la interpretación de Armand de sus cada vez más hostiles modales hacia él. Como era de esperar, se sentó lo más lejos de Armand que le permitió el asiento del taxi, estaba apretujada en un rincón, con las manos enguantadas hundidas en los bolsillos del elegante abrigo invernal de molesquina. Armand bajó la mirada con una sonrisa turbia hacia el espacio que había entre ellos y Fernande aprovechó la oportunidad para lanzar un ataque.

–No se requiere gran acopio de imaginación para adivinar lo que está usted pensando –dijo en un tono de voz desdeñoso–. En cuanto se encuentra a solas con una mujer no piensa en otra cosa más que en meterle mano, sea en público o a plena luz del día. Me parece que este tipo de comportamiento es absolutamente despreciable.

–Tal vez se lo parezca, Madame –respondió Armand con serenidad–, pero como a las mujeres con las que frecuentemente comparto taxi mi mano entre sus muslos les parece un modo muy placentero de pasar el viaje, lamento llegar a la conclusión de que es usted algo rara.

Fernande le miró con desprecio y Armand prosiguió alegremente con lo que sabía que la enfurecería.

–Por ejemplo, cuando llevo a Suzette a casa, ella se sienta muy cerca de mí para que la pueda besar y acariciar.

Mientras decía esto, Armand alargó con indiferencia la mano a través de la brecha que lo separaba de Fernande y, con un dedo, le acarició la corta y suave piel del abrigo, por encima de la rodilla. Fernande resopló de indignación e intentó alejarse de él, pero no podía retroceder más.

–La otra noche, nuestra querida Suzette –prosiguió Armand–, a quien usted y yo, cada cual a su manera, adoramos hasta la locura, se humedeció tanto debido a mis caricias que de veras creí que estaba a punto de disfrutar de un pequeño éxtasis en el taxi... En ese momento recorríamos la Rue de Rivoli frente a las Tullerías.

Fernande contemplaba como hipnotizada los dedos de Armand moviéndose delicadamente sobre su abrigo de piel.

–Es usted un degenerado –dijo ella, apenas capaz de hablar por las emociones que la sofocaban–. No tengo ningún deseo de oír su vil exhibición y su jactancia de cómo asedia a Suzette... usted, que no es digno de besarle los zapatos.

–Seguramente no creerá que eran los zapatos lo que deseaba besar en ese momento... –dijo Armand con una sonrisa–, pero por desgracia, Madame, lamento tener que decirle que existen ciertas limitaciones a lo que se puede hacer en un taxi... de otro modo ciertamente habría brindado a nuestra pequeña Suzette un momento de gloria con un profundo beso entre los muslos desnudos. Pero como eso era imposible, ella se las arregló para aguantar hasta que llegamos a la Rue de Varenne y subimos a su apartamento.

–¡Ya es suficiente! –exclamó Fernande.

Armand observó que había separado ligeramente las rodillas, mientras contemplaba con ojos muy abiertos sus dedos móviles, se sonrojó como si le acariciara otro abrigo de pieles, ése otro pequeño y oscuro que tenía entre las piernas. La idea de que tal vez pudiera ser tan vulnerable a los éxtasis mentales como él mismo le incitó a la acción. En su apartamento le había inflamado la imaginación hasta el punto de provocarle el orgasmo dos veces y la lógica decía que sólo podía saber el efecto que podía causar en él poseyendo ella misma una imaginación muy desarrollada.

Bueno pues, para Armand era obvio que su teoría no podía flotar en el aire indeleble, por así decirlo, se requería un experimento, para corroborar su validez. ¿Era Fernande una criatura de corazón helado que manipulaba las pasiones de los demás en su propio provecho, o era una mujer de gran imaginación, que la empleaba con los demás y que podía volverse en contra de ella? Ahora que su experimento parecía funcionar, no tenía intención de abandonarlo a medias; el espíritu científico exigía que completara el experimento con Fernande y observara el resultado.

–Por suerte usted había salido esa noche –le dijo–. ¿Quizá había ido a que Monsieur Leblanc le besara los preciosos pechos? ¿No? Bueno, no importa... El apartamento estaba libre y sin problemas encendí las luces, aupé a Suzette y la senté en el elegante aparador de palisandro que tiene en la entrada. ¿Quizá tiene usted un amigo íntimo anticuario, Madame, además de uno que trata en valiosos cuadros?

–¡Vándalo! –respondió Fernande, pero su voz era palpablemente quebradiza y débil.

–En absoluto. Dígame realmente si imagina un uso más gozoso para su aparador que el de lugar de reposo del tierno trasero de Suzette con la ropa levantada hasta la cintura.

–¡Basta...! –gimió Fernande–, ¡basta!

—Ah, pero aún hay más... mucho más –dijo Armand con entusiasmo, moviendo rítmicamente los dedos en la corta y lisa piel del abrigo de Fernande–. Fuera las braguitas en un instante... se las quitó con tal prisa que no me dio tiempo a ayudarla. Su palisandro fue honrado por el contacto de la carne desnuda de nuestra querida. No le importará que le llame «nuestra» querida, ¿verdad? Al fin y al cabo es una descripción precisa, pues ambos la adoramos.

—Esto es demasiado... insisto en que se calle de inmediato.

—Demasiado para usted, quizá –respondió él jocosamente–, pero no demasiado para Suzette, se lo aseguro. Yo me puse de pie entre sus piernas mientras ella literalmente me rasgaba los pantalones y me sacaba esa parte de mí que usted parece despreciar con tanto encono. ¿Qué le voy a decir? En un instante me tuvo dentro de su ranurilla.

—¡No... no...! –jadeó Fernande–. ¡Deténgase!

El rostro de Fernande se arreboló de emoción y, por el movimiento dentro de los bolsillos del abrigo, Armand dedujo que sus dedos enguantados hurgaban febrilmente entre los muslos a través del tejido de la falda.

«¡Ahora te tengo! –pensó Armand, exultante–. Te he excitado la imaginación hasta que está fuera de control. Si estuvieras sola en este momento tendrías ambas manos entre las piernas para regalarte un pequeño orgasmo. Pero como estamos aquí juntos en el asiento trasero de un taxi, no puedes hacer otra cosa más que sufrir los pinchazos de la frustración... y da gozo verlo.»

—¿Dice que me detenga, Madame? –la atormentó–. ¡Pero nuestra querida Suzette no deseaba que me detuviera! Me echó los brazos al cuello y me acercó mientras me instaba a que se lo hiciera más fuerte. Ah, qué glotona putilla es cuando está excitada... como usted bien sabrá cuando hace el amor con ella. En cuanto esa suave entradita suya se moja de deseo, es insaciable de placer...

Pretendía que la parte más escabrosa de la tortura que infligía a Fernande fuera un relato de cómo él y Suzette habían llegado juntos a los momentos dorados, allí en el aparador de palisandro. Pero antes de que pudiera ir más lejos, Fernande echó la cabeza hacia atrás, jadeó y cerró los ojos un instante. Armand observó el temblor del esbelto cuerpo dentro del maravilloso abrigo y, con una sonrisa, llegó a la conclusión de que había empezado a igualar el marcador del combate nocturno. Estaban dos a uno, a favor de ella, pero se enfurecería tanto al ser desafiada y derrotada en su propio terreno que casi valía por dos.

Y sin duda era en su propio terreno en el que le había ganado el punto, pues no la había rozado —ni tampoco Fernande lo hubiera permitido, lo sabía—, ni siquiera la había tocado como ella a él en su casa, cuando impidió que su mano entrara en contacto con él, envolviéndole la carne dura en el pañuelo y luego en la ropa interior. Aún conservaba una sonrisa de satisfacción en el rostro cuando Fernande se recuperó, y sus ojos marrones oscuros parpadearon antes de abrirse para contemplarlo despiadadamente.

—De modo que esas tenemos —dijo ella con un gruñido amenazador—. Muy bien... la lucha entre nosotros será sin reglas ni piedad. Me ha provocado deliberadamente, no se queje cuando empiece a sufrir.

—¡Pero existen reglas! —objetó Armand de inmediato—. Las hemos acordado nosotros antes de salir de mi apartamento. No me quejaré siempre y cuando las respetemos. Haremos el amor juntos a Suzette, ninguno de los dos molestará al otro, hasta que esté lo bastante excitada

215

como para acudir a usted o a mí para terminar, usted con los dedos o la lengua y yo con algo más naturalmente apropiado para complacer a las mujeres.

Fernande no dijo nada, pero sus ojos hablaban con elocuencia del destino que deseaba a Armand y a su naturalmente apropiado aparato. Y Armand, convencido de que ella haría trampas y se aprovecharía, reflexionó sobre cómo había sido capaz de excitarla lo suficiente para provocarle un orgasmo, la clave estaba en hablar de hacer el amor a Suzette. Poder incapacitar a Fernande de ese modo le haría buen servicio más tarde, cuando el combate que ambos librarían por el afecto de Suzette –o al menos por su deseable y joven cuerpo– empezara a encarnizarse.

–Recapitulemos, Madame. Hemos acordado no decirle a Suzette cómo se decidirá el ganador, pues eso dejaría en sus manos el poder de elegir conscientemente entre ambos. Deseamos que sus pasiones decidan por ella, y no la opinión que Suzette pudiera formarse sobre quién de nosotros sería más capaz de mantenerla y con mayor comodidad. Y así, aquel a quien Suzette acuda para recibir el éxtasis final será el ganador y gozará de ella en el futuro. Acaba de aceptar estas reglas. Si ha cambiado de opinión, por favor, dígalo y la dejaré aquí ahora mismo y llegaré con Suzette a los acuerdos privados que crea convenientes.

–No, no... de acuerdo –dijo Fernande, de mala gana, cuando él concluyó el largo discurso–. Mi único deseo en este imbécil acuerdo es ver cómo Suzette le rechaza y se arroja a mis brazos para compartir el éxtasis conmigo.

En el vestíbulo del apartamento de Fernande se quitaron los sombreros y los abrigos. Armand recorrió delicadamente con los dedos el lustroso sobrefaz del aparador de palisandro y, cuando vio arrebolarse las mejillas de Fernande, se inclinó y besó la pulida madera.

—Observe —dijo, sonriendo ampliamente a Fernande—, éste es el lugar exacto honrado por la caricia del vellón rubio de Suzette. Eso sólo basta para transformar este mueble en una reliquia de familia digna de ser atesorada.

—Bravuconee mientras pueda —dijo Fernande, tensando los labios.

—Seguiré bravuconeando, como usted lo llama, dentro de una hora, aunque dudo que usted pueda hacerlo —replicó Armand.

Intentaba presentar ante ella una apariencia de confianza total, aunque en realidad tenía secretos temores sobre el resultado de la curiosa competición que acababa de proponer tan a la ligera hacía una hora. Fernande se alisó la falda del traje sastre negro y se contempló en el espejo de la pared, mientras se atusaba el cabello brillante y oscuro.

—Estoy preparada —anunció—. ¿Y usted?

—Por supuesto... pero ¿está segura de que Suzette se encuentra en casa?

—Está aquí —respondió Fernande lisa y llanamente—, preparándose para salir esta noche. Se está preparando desde que se levantó esta mañana, acicalándose y poniéndose de veintiún botones, como si importara algo si se embellece y se pone las ropas más elegantes o no. En el momento en que la hubiera tenido para usted solo, habría abusado de su cuerpo para su placer egoísta aunque no se hubiera lavado en una semana, tuviera las piernas peludas y vistiera un viejo saco de patatas.

Había cierta inquietud subyacente en la voz de Fernande que provocó una débil sonrisa en los labios de Armand. Era evidente que no se sentía totalmente segura de la victoria.

—La felicito por su despierta imaginación —le dijo con

una sonrisa–, pero debo protestar por su falta de comprensión hacia mis gustos personales.

–¡Sus gustos personales! Son los de los hombres saqueadores y destructivos a través de la historia –replicó–. De eso no me cabe la menor duda.

–Dígame algo, Madame –dijo Armand, sonriéndole con dulzura–, ¿cómo estaba de limpia y bien oliente Suzette cuando la encontró por primera vez en un bar de callejón y la llevó a su casa para su propio placer? Imagino que entonces tenía las piernas peludas... y vello bajo los sobacos. ¿Se paró a bañarla antes de llevarla a la cama? ¿O la tumbó de espaldas y la abrió de piernas tal como estaba?

–¡Bárbaro! –exclamó Fernande enojada, y Armand se permitió carcajearse mientras la seguía hasta el elegante salón.

Suzette estaba sentada en el sofá, bajo el cuadro de Bonnard que tanto había admirado Armand, la mujer desnuda con zapatos rojos oteando por la ventana los tejados de París. Por un momento el cuadro cautivó su atención, despertándole recuerdos de la noche en que Madeleine estaba de pie en la ventana de la casa de su hermana luciendo la negligé de gasa. Se había acercado lo suficiente para apretarle el grueso mástil contra el trasero mientras le desabrochaba la negligé y recorría con los dedos la suave piel de sus pechos.

Había una sonrisa de placer en su rostro cuando bajó la mirada de la pintura hasta Suzette, que se hallaba en el sofá a rayas granates y grises. No vestía precisamente una negligé, sino un precioso kimono de satén de color orquídea rosada, bordado con un dibujo japonés de crisantemos, y tenía las piernas desnudas acurrucadas de manera que enseñaba la mayor parte de sus encantadores y regordetes muslos. El efecto general: el kimono, el modo

218

de sentarse, el cabello corto casi rubio, todo se combinaba para hacerla parecer muy joven e indefensa.

Al verla así, a Armand no le resultó nada difícil comprender por qué una mujer con tanta experiencia del mundo, tan hermosa y tan elegante como Fernande sentía el mismo ardiente deseo que él de violarla y consumirla, como si fuera una fruta madura a la que estrujar, chupar y absorber todo su dulce jugo. Comprender era una cosa, pero quedarse al margen era otra, y menos por una hipócrita como Fernande que vivía de excitar a los hombres que pretendía despreciar. Le había dejado bien claro y con un candor innecesario que él y ella eran contrincantes. O mejor dicho, que él era un intruso en su jardín del edén particular y que intentaba expulsarlo para siempre.

Suzette se estaba puliendo las uñas con una pequeña almohadilla de cuerpo de gamuza. Cuando levantó la vista de la manicura para ver a Fernande y a Armand de pie junto a ella, los ojos avellana se abrieron más y arrugó la nariz de sorpresa. Pero sonrió, dándoles la bienvenida sin hacer ningún comentario. Armand le besó la mano y Fernande se inclinó para besarla en la mejilla, afirmando ya su pretensión de haber consolidado derechos de propiedad más férreos que los de él. Suzette estiró las piernas y apoyó los pies descalzos sobre la alfombra y, para mortificación de Armand, se estiró el kimono sobre los muslos con el fin de tapárselos.

Armand tomó asiento junto a ella en el sofá, aunque no demasiado cerca, pues no deseaba que Fernande le acusara de hacer trampas empezando mientras ella estaba ausente, pues había ido a buscar una botella de champaña y copas. A pesar de ello, Fernande le deparó una larga mirada de duda y sospecha al regresar y depositar la cargada bandeja de plata. Y de hecho, tenía motivos para sospechar, aunque Armand se rió en secreto de su desconfianza; si hubiera sido él quien hubiera ido a buscar el champaña, dejando a Fernande a solas con Suzette, también le habría resultado imposible no preocuparse ni estar celoso.

El motivo simple y suficiente de los temores de Fernande era que Suzette acababa de salir del baño, alrededor de su cálido cuerpo flotaba la sutil y delicada fragancia de *muguet du bois* de la esencia de baño. Y para Armand, tanto como para Fernande, era igual de evidente que el hermoso cuerpo de Suzette estaba totalmente desnudo bajo el holgado kimono. Lo más fácil del mundo habría sido deslizarle una mano en el escote y acariciarle los pechos desnudos, e igual de fácil meterle la mano debajo del cinturón y acariciarle los tibios muslos.

Fernande se sentó en el sofá al otro lado de Suzette, perceptiblemente más cerca que Armand. Él se ofreció a abrir la botella, pero Fernande insistió en demostrar su independencia descorchando el tapón ella sola. Salió con un ruido fuerte y el champaña burbujeó, derramándose sobre la alfombra antes de que le diera tiempo a inclinar el cuello sobre las copas. Los tres cogieron una copa; Suzette miraba con curiosidad primero a uno y luego a otro para ver si decían algo.

—Por el amor —dijo Armand, decidido a molestar a Fernande en la medida de lo posible, y levantó la copa.

—Por el verdadero amor —contrarrestó Fernande enseguida, levantando la suya.

—Y por Suzette —añadió Armand.

—Sobre todo por Suzette —dijo Fernande con fervor.

—¿Qué sucede? —preguntó Suzette, volviendo la cabeza de un lado a otro para contemplar primero a Fernande y luego a Armand.

—Nada de lo que debas preocuparte —respondió Fernande de inmediato, con el deseo de evitar que Armand le ofreciera su versión de los acontecimientos–. Lo cierto es que tu nuevo amigo y yo hemos llegado a cierto acuerdo entre ambos... bueno, ¿cómo te lo podría explicar? Confía en mí por completo, querida. Cierra tus hermosos ojos y deja que las cosas sigan su curso durante la próxima media hora. Cuidaré muy bien de ti, te lo prometo... confías en mí ¿verdad?

Suzette asintió y alargó la mano para coger la de Fernande, mientras Armand vaciaba la copa y se reclinaba, observando con los ojos entornados. Suzette yacía en el sofá, con la cabeza sobre el hombro de Fernande y los ojos abiertos, mirándola con amor y confianza. Sostuvo la mano enjoyada de Fernande durante un rato, escuchando lo que le susurraba al oído, luego deslizó la mano de su amiga sobre el delantero del kimono y la frotó contra sus ocultos pechos. El rostro de Fernande expresó una mirada de dicha mientras acariciaba amorosamente a su amiga, inclinando la negra cabellera para ofrecer la boca a Suzette.

Armand oyó un ruido amortiguado cuando la copa vacía de champaña cayó de la mano de Suzette a la alfombra y rodó debajo del sofá. Se agachó para tocarle el muslo y al cabo de un instante ella le tanteaba con delicadeza los botones de los pantalones, en busca de una abertura. Él apartó las piernas y se los desabotonó, y cuando Suzette hurgó dentro de los pantalones para agarrarle la recia saeta, Armand palpó bajo el kimono para acariciarle el muslo desnudo y subir hacia el melocotón de vello rubio que sabía aguardaba ser pulsado. Lo acarició, con dedos temblorosos, y la oyó gemir en la boca abierta de Fernande.

Casi de inmediato, Fernande interrumpió el largo beso y levantó la cabeza para ver qué estaba haciendo Armand que afectaba tan profundamente a Suzette. Ante la vista de la mano que desaparecía bajo el kimono de satén orquídea rosada, Fernande profirió una exclamación de rabia rápidamente reprimida. Entonces, al ver que no había modo de expulsarlo de la ciudadela excepto tomando posesión de ella, se puso de rodillas sobre la alfombra, entre las piernas abiertas de Suzette, y empleó ambas manos para quitarle el cinturón y abrirle del todo el kimono.

—¡Ah, *chérie*! —suspiró Suzette, tumbando el cuerpo completamente desnudo sobre el sofá y cerrando los ojos para experimentar mejor las caricias de las expertas manos de Fernande desde la garganta hasta los muslos.

Armand observaba encantado, empapándose de toda la belleza que ofrecía Suzette, con la verga saltándole en la mano en un esfuerzo por recuperar su atención. Los dedos de Fernande, cargados de piedras preciosas, trazaban los recovecos y las curvas del voluptuoso cuerpo de Suzette, la visión excitó a Armand tan ferozmente que se creyó a punto de rociar su deseo en la cálida mano de Suzette.

Cuando Fernande estuvo segura de haber triunfado sobre Armand y de que Suzette era completamente suya, bajó hacia las dobladas piernas de ésta, hasta que su rostro de belleza glacial estuvo a la altura de los minúsculos rizos de la entrepierna de Suzette. Con los pulgares de uñas escarlatas separó los suaves pliegues que sus rizos apenas ocultaban y murmuró:

—Querida, querida, querida... —bajando más la cabeza hasta apretar la punta de la húmeda lengua en Suzette, arrancándole un largo suspiro de placer.

Armand no creía estar derrotado: dejaba deliberadamente que Fernande tomara la delantera en estas primeras etapas del combate, utilizándola para que marcara el ritmo de una carrera maratoniana, por así decirlo, antes de empezar a demostrar sus verdaderas habilidades. Mientras Fernande dirigía sus amorosas atenciones hacia el precioso *jou-jou* oculto entre los carnosos muslos de Suzette, Armand se acercó al sofá y se volvió para poder sujetar el rostro de Suzette en las manos y abrirle con delicadeza los párpados, para que viera que era él quien la besaba en la boca. Y durante un beso que pareció casi una eternidad de bonanza, su mano vagó por los pechos desnudos y turgentes de Suzette.

Incapaz de apaciguar sus sospechas, aun cuando se creía ya victoriosa, Fernande levantó la vista y vio lo que Armand le estaba haciendo a Suzette. De inmediato abandonó las profundas caricias y se arrodilló entre las piernas abiertas de Suzette. Armand volvió la cabeza para ver lo que Fernande hacía, apretando la mejilla a la mejilla caliente y ruborizada de Suzette con las manos aún en posesión de su seno derecho.

Con grácil deliberación, Fernande se desabrochó el traje sastre para desnudar la piel de alabastro y los pequeños pechos en el endeble sostén de encaje. Se quitó la chaqueta y dejó caer un exiguo tirante por el hombro para bajar la copa de encaje y desnudar por entero un seno en forma de pera. Suzette profirió un largo y contenido suspiro, soltó la saltarina vara de Armand y se sentó en el sofá. Cogió a Fernande por las caderas y se inclinó hacia adelante para apretar la boca contra el pezón rosado del seno que acababa de descubrir.

Creyendo que el suelto y abierto kimono le ocultaba demasiado, Armand se lo bajó a Suzette por los hombros. Era evidente que ella era de la misma opinión: ese tipo de ocultación de su cuerpo era innecesario en las presentes circunstancias, y soltó las caderas de Fernande para que Armand pudiera quitárselo por los brazos y dejarlo caer. Cuando se inclinó hacia adelante, ahora totalmente desnuda, para acariciar los pezones de Fernande con la lengua, Armand le acarició la espalda y le encantó el contacto de la carne satinada bajo sus manos.

Cuando estaba a punto de disolverse en el éxtasis debido al contacto de la lengua de Suzette, Fernande cogió el rostro de Suzette entre las manos y cuidadosamente lo retiró de sus pechos. Se puso en pie, algo insegura debido a la fuerza de las emociones que la boca de Suzette había despertado. Cuando la falda le cayó por las piernas para revelar que estaba desnuda a excepción de las medias de seda negras, Suzette exhaló un pequeño gemido de placer y suspiró:

—Pero ¿dónde están tus bragas, *chérie*? —mientras alargaba la mano para acariciar el espeso vellón de rizos oscuros.

—Estaban estropeadas y las tiré —susurró Fernande—. Tu amigo Armand les hizo el amor... Para él no existe diferencia entre el cuerpo de una mujer y sus ropas. Si le das un par de guantes le verás hacer el amor en ellos con tanto ardor como si estuviera tumbado entre tus piernas. No le importa nada más que sus propias despreciables satisfacciones.

Mientras difamaba a Armand de este modo, se encontraba de pie con los pies separados, los rizos oscuros y espléndidos contra la esbelta blancura de los muslos, y Suzette aflojaba el liguero de encaje alrededor de la cintura y le bajaba las medias de seda. Las manos de Armand se abrieron paso bajo las axilas suaves de Suzette y luego a su alrededor para agarrarle los túrgidos senos. Entretanto, con la respiración agitada, observaba por encima del hombro las resplandecientes piernas de Fernande surgir de los frágiles envoltorios negros de las medias.

Suzette acarició y separó los rizos oscuros de Fernande y volvió la manita con la palma hacia arriba, para hundir delicadamente los dedos en los labios carnosos que había descubierto. El largo «¡ah!» de gozo de Fernande se vio correspondido con otro suspiro igual de profundo de Suzette, inspirado por las caricias de Armand en el bajo vientre y entre los muslos abiertos, hasta que los dedos investigaron con ternura sus secretos y descubrieron el recóndito botón. Los suspiros y murmullos de las dos mujeres se mezclaron en un largo himno de gozo, ambas sacudidas por los espasmos de placer que les recorrían los cuerpos desnudos partiendo de las caricias de los dedos en las entrepiernas.

Bajo las yemas de los dedos de Armand, la suave carne se humedecía, y por su rítmica pulsación adivinó que la explosión de Suzette era sólo cuestión de minutos, pero Fernande también lo presintió y se cambió con objeto de retrasarla. Giró rápidamente para sentarse en el sofá y atraer a Suzette hacia ella de modo que los dedos de Armand perdieran el contacto con su húmedo juguetito. Mientras las mujeres se abrazaban en un largo beso, Armand se quitó rápidamente la ropa y se quedó desnudo, con su crecida espoleta batiendo fieramente hacia arriba.

Para entonces Suzette se había vuelto por completo hacia Fernande, presentando a Armand la lustrosa extensión de la espalda, con hoyuelos que no había notado antes, sobre las brillantes nalgas y la rica plenitud del trasero. Armand jadeaba ansioso al apretarse contra ella, para empujar la henchida verga entre aquellas magníficas nalgas y quedar atrapado entre el encanto de vello esponjoso y el almohadón rayado del sofá.

Suzette aún no estaba vencida por el placer que Fernande le brindaba como para no percibir lo que Armand estaba haciendo, pues se inclinó hacia atrás, decidida a sacar el trasero y apretarlo contra el vientre de él. Sus redondeadas caderas empezaron un rítmico balanceo que deslizaba su mojada y abierta nectarina a lo largo de la verga aprisionada. Armand gruñó de incipiente éxtasis y la sujetó por las caderas mientras se zarandeaba adelante y atrás, tan excitado que ya no le importaba dónde se derramara su espumeante champaña cuando el tapón saliera disparado de la botella.

Pero el ritmo del placer de Suzette avisó a Fernande de que estaba sucediendo algo que ella no había iniciado. Puso la barbilla en el hombro de Suzette y bajó la vista por su espalda.

—¡Ah, eres tú! —jadeó ella, viendo el grueso miembro de Armand oculto, y de inmediato arrastró a Suzette del sofá y la arrojó sobre la alfombra.

Libre de su placentera carga, el equipo de Armand brincó como un muñeco de resorte, tan furiosamente que chocó contra su propio vientre desnudo y se quedó temblando de enojosa frustración.

En el suelo, Fernande tenía a Suzette tumbada de espaldas y se recostaba sobre ella, cara a cara y monte de vello oscuro sobre monte de vello claro, como para protegerla de los ojos devoradores de Armand. Con gran fuerza de voluntad él se sentó un rato, observando a Fernande moverse sobre el cuerpo de la chica para provocarse una agradable sensación, senos contra senos, vientre contra vientre. Sabía que podía permitirse ser paciente, no eran más que los preliminares del amor: pronto Fernande retiraría la atención de la jadeante boca de Suzette hacia aquellos otros labios húmedos de la entrepierna.

Y mientras tanto, qué delicioso era observar el contraste entre las tonalidades de piel de las dos mujeres. Suzette presentaba el lustre dorado de la juventud —su en-

cantador cuerpo regordete resplandecía de salud y lozanía–, mientras que el cuerpo impecable de Fernande era
pálido y liso como el alabastro. Armand contempló ávi-
damente la larga y sinuosa espalda y el encanto del culo
de Fernande, pues la posición boca abajo sobre Suzette
le permitía ver por primera vez esa maravillosa parte de
su cuerpo.

Las pequeñas nalgas eran tensas, satinadas y fascina-
doramente redondas, y se deslizaban de un modo increíblemente voluptuoso arriba y abajo, al ritmo en que Fernande se restregaba contra la bujeta de Suzette. Contemplar esta pausada refriega excitó tanto a Armand que
tuvo que cogerse el oscilante mango para aplacarse y no
saltar sobre Fernande y, bregando entre aquellas elegantes nalgas, descargar su desesperada pasión en la primera abertura que encontrase.

Suspirando de placer, Fernande apoyó las palmas en el
suelo y se elevó sobre los brazos para apretar el vientre sobre Suzette con más peso. Armand también suspiró, movió la mano lentamente arriba y abajo de su pomo al ver
los elegantes y pequeños pechos de Fernande colgar justo encima de los redondos y rollizos de Suzette. Y de nuevo la comparación le hizo sonreír de puro placer: pequeños pezones rosados pendiendo sobre henchidos pezones
bermejos. Armand se dijo para sí fervientemente que sería un auténtico aperitivo del paraíso si pudiera llenarse
la boca con cuatro pezones a la vez.

En ese momento Fernande levantó la vista de la bonita cara de la chica que estaba debajo de ella para contemplar a Armand. Su turgente miembro saltaba en la mano
ante el nuevo contraste que se presentaba a sus ojos y ante
lo que era más importante para su imaginación furiosamente activa: las soberbias expresiones de los rostros de
las dos mujeres. La boca de Suzette, muy abierta, mostra-

ba la húmeda lengua, los ojos de avellana le brillaban con la glotonería de una muchacha de diecinueve años anhelante de más placer y más intenso, mientras Fernande, que le doblaba la edad, tenía una expresión de sutil dedicación al método de brindar ese placer.

Fernande miró el rostro arrebolado de Armand y la mano con la que se acariciaba la congestionada verga, y su expresión serena se convirtió en una sonrisa de malévolo triunfo. Adivinó que no le costaría demasiado hacerle eyacular su frustración sobre su propio vientre derrotado y, para acelerar el proceso, rodó por encima de Suzette, se puso a su lado y le besó el cuerpo, deteniéndose entre los besos y levantando la vista hasta Armand con una sonrisa mordaz y una mirada en los ojos marrones que decía sin palabras: «¿No te gustaría estar haciéndole esto?».

Cuando por fin sus labios tocaron el *petit palais* de Suzette, Fernande dirigió a Armand una última mirada tentadora antes de hundir en ella la húmeda lengua. Armand le miró la nuca, el lustroso cabello negro contra los tonos claros de la carne del vientre de Suzette, éste era el momento que había estado esperando con tanta impaciencia. En silencio, aunque por ahora Fernande estaba demasiado absorta para prestarle atención, Armand bajó del sofá a la alfombra y se tumbó al lado de Suzette. Una de sus piernas abiertas se hallaba sobre el hombro de Fernande y ésta la abrazaba y la besaba entre los muslos.

De vez en cuando, Suzette se estremecía y gritaba bajito debido a las emociones que la surcaban; a veces, por un momento, se retorcía bajo la boca de Fernande para permitir un breve receso del placer, tan intenso que era casi doloroso. Armand deslizó las manos sobre las rotundas nalgas del trasero que se le presentaban tan explícitamente y le acarició la hendidura que se abría entre ellas.

Le tembló el cuerpo al tocar el cálido nudillo de múscu-lo que allí encontró, a menos de un palmo del tierno lu-gar que trabajaba la lengua de Fernande.

A Armand se le ocurrió la embriagadora idea de que nada le impedía entrar en el apetitoso cuerpo de Suzette por la puerta de atrás. Pero le contuvo la certidumbre de que Fernande se apuntaría el tanto de lo sucedido a Su-zette y no habría modo de saber quién tenía razón, pues el juicio de Suzette estaría demasiado sumido en la sensa-ción como para ser creíble. Era necesario un enfoque distinto y se apretó contra la espalda sudorosa, con los brazos alrededor del cuerpo de Suzette, para poderle co-ger los orondos pechos y estrujarlos fuerte con el fin de atraer su atención.

–Túmbate de espaldas para mí, Suzette –le sugirió–. Yo tengo algo grande y duro entre las piernas que te dará más placer que la lengua de Fernande.

Su murmullo fue lo bastante alto para que Fernande lo oyera –como él pretendía–, pues creía que durante su viaje en taxi había podido inducirla al orgasmo recrean-do vívidas imágenes de hacer el amor a Suzette, y ahora le parecía que si podía repetir su triunfo, Fernande se que-daría inmovilizada lo suficiente como para darle la opor-tunidad de internarse rápidamente en Suzette. Y enton-ces, aunque Fernande gritase y le arañase la espalda, conse-guiría la victoria provocando el orgasmo de Suzette con cortas y fuertes embestidas.

Bastante obediente, Suzette empezó a darse la vuelta, pero si se la habría dado del todo y se habría abierto de piernas para él es algo que nunca sabremos. Los escalo-fríos que le recorrían el cuerpo eran tan poderosos que se tambaleaba en el borde mismo del precipicio, un milí-metro más y se arrojaría al misterioso abismo del éxtasis. Fernande había jugado demasiadas noches y días con Suzette como para comprender y apreciar las capacidades de su apetitoso y joven cuerpo, y sabía que los momentos cruciales de Suzette estaban a un latido o dos de distancia. Luchó para reafirmar el poder de control sobre la muchacha clavándole las uñas en la cara interna de los muslos mientras apartaba la boca de ella.

–¡No pares ahora... no pares! –gritó Suzette, frenética de excitación.

–¡Entonces suplícame! –le contestó Fernande–. ¡Suplícame que me apiade de ti y te deje terminar! Di: «Te amo, Fernande» –y miró duramente a los ojos de Armand para saborear su triunfo sobre él.

Pero las emociones de Suzette estaban demasiado descontroladas como para saber lo que se requería de ella; su hermoso cuerpo estaba húmedo y la boquiabierta fauce sexual clamaba por ser colmada de éxtasis. Se apartó de Fernande y se arrojó sobre el cuerpo de Armand, tumbándolo de espaldas, postura que adoptó sin la menor resistencia. Su feliz impresión era que Suzette estaba a punto de arrebatarle la victoria a Fernande y concedérsela a Armand empalándose en él. Pero en cambio, Suzette le apartó las piernas y le chupó la pulsante prolongación, restregando el húmedo nido contra su rodilla al ritmo de la desesperación.

Intentó asirle los pechos con las manos, pero ella estaba demasiado mal colocada para que los alcanzara. Su ardiente lengua lamía la abultada y aterciopelada cabeza de la verga y él empezaba a arquear la espalda en una inminente explosión de éxtasis. Armand sonrió de dicha a Fernande, que le miraba por encima del hombro de Suzette, con una expresión de incredulidad y rabia. Miró directamente a los ojos oscuros de Fernande y la tentó murmurándole palabras de aliento a Suzette. Palabras ostensiblemente dirigidas a Suzette, es decir, aunque su verdadero propósito era inflamar la sensibilidad de Fernande y provocarle una incompartida crisis de deseo.

—Oh, Suzette, cómo adoro el roce de tu suave boca sobre mí... —murmuró.

—¡No, no... esto es intolerable! —gimió Fernande.

Cogió a Suzette por las caderas e intentó separarla de Armand, pero la boca de Suzette se aferró a Armand como una sanguijuela y éste gimió de éxtasis al notar las afiladas uñas clavándose en la parte blanda de la ingle y luego pellizcándole los pompones, enviando oleadas de delicioso dolor a través de ellos. Su orgullo enormemente henchido se erguía hacia arriba, sobre la lengua lamedora de Suzette, intentando engastarse en su garganta, y él supo que en pocos instantes la explosión sería tan intensa que le aniquilaría.

Pero fue Fernande y no Armand la aniquilada antes. Fue entonces cuando Fernande arqueó convulsivamente la espalda y puso los ojos en blanco. Soltó a Suzette, las manos volaron hacia sus propios muslos abiertos, donde los dedos hurgaron en el abierto surco rosado entre los rizos negros. Armand sonrió y se abandonó en cuerpo y alma a la mediación de Suzette, pero subestimaba la rápida capacidad de recuperación de Fernande. Apenas un instante antes de que la manecilla del detonador fuera bajada para provocarle la explosión, Fernande cogió a Suzette por los hombros y la apartó de él a la fuerza.

Armand se sentó con un largo suspiro de exasperación; tal vez se había equivocado sobre el clímax de Fernande. Tal vez lo que había visto no era más que un breve destello de pasión a través del vientre, que la dejó tan excitada y decidida como antes, o incluso más. Vio cómo Suzette rodaba de espaldas entre él y Fernande.

—¡Aún no has ganado! —exclamó él.

—Pero seguramente tú has perdido —respondió ella, agarrando con las manos el interior de los muslos de Suzette para separarlos.

–Te equivocas. Tú eres la que se ha rendido, no yo. Incluso ahora... estamos empatados.

Fernande sonreía con fragilidad al observar cómo el miembro que se le izaba a Armand entre las piernas temblaba de contenida emoción.

–Y ahora estoy dispuesta a llevarme el premio, mientras tú, en pocos minutos, regarás tus fútiles aspiraciones en el aire. Lo cierto es que estás tan excitado que no aguantarías lo suficiente para satisfacer a Suzette aunque le metieras tu ridícula cosa. A quien ella satisfaga primero, ése será el ganador, ésa fue la condición que tú pusiste.

La frase sobre el grado de excitación de Armand era tan cierta que casi se sumió en la desesperación. Pero en su ansiedad por expresar su desdén por un rival al que ya creía vencido, Fernande olvidó de que Suzette estaba en una condición similar a la de Armand. Y Suzette era de una naturaleza impetuosa; estaba tan excitada por las simultáneas y sin embargo diferentes atenciones de los dos amantes que ansiaba tortuosamente la satisfacción definitiva. Suplicaba que la lamieran, frotaran, besaran, manosearan, mordieran, penetraran, lo que fuera para poner un orgásmico fin a sus exquisitos sufrimientos.

Su súplica atrajo la atención de Armand y Fernande, que dejaron de mirarse y se centraron en ella. Se retorcía y contoneaba, extendiendo brazos y piernas, abrazando a Armand y a Fernande. Levantó y separó las rodillas, ofreciéndose a sí misma por completo, crispaba las manos febrilmente sobre sus propios pechos turgentes. Y entonces, demasiado impaciente como para esperar más tiempo una respuesta de los contemplativos amantes, se metió las manos entre los muslos abiertos, donde la raja rosada aparecía entre hacecillos de vello color melocotón. De inmediato, ambos dedos medios estuvieron dentro y se acarició con frenética velocidad, levantando el trasero del suelo a un ritmo frenético.

Al cabo de un momento o dos de observar boquiabiertos, Armand y Fernande levantaron la vista de aquellos vivaces dedos y se miraron entre sí. Sin decir palabra, llegaron a un acuerdo entre ambos, tomaron cada uno una de las muñecas de Suzette y le retiraron las manos de su excitante tarea de misericordia. Suzette rodaba de lado a lado sobre la alfombra, suplicando satisfacción con jadeos y suspiros y palabras quebradas, pero aún no daba muestras de a cuál de los dos prefería para precipitar la crisis, a él o a ella.

Y así, mientras la victoria y la derrota se paseaban por el filo de un cuchillo, Armand y Fernande se miraron a los ojos por encima del premio desnudo que se retorcía entre ellos, esperando que pronunciara el nombre de aquel a quien prefería. La necesidad física de Suzette era tan intensa que impregnaba la habitación entera, casi como si la atmósfera estuviera cargada de electricidad antes de que un destellante rayo azulado estallara en el aire. Y cuando sus cuerpos se hubieron cargado de esa electricidad del alma, Armand y Fernande fueron atraídos involuntariamente el uno hacia el otro por encima de Suzette y sus rostros se acercaron cada vez más.

Ambos respiraban pesadamente, cada uno notaba el cálido aliento del otro, tan cerca y tan excitante que Armand tuvo la extraña impresión de que tenía su dureza embebida en la blandura de la entrepierna de Fernande. Las vibraciones invisibles de la sexualidad que irradiaba Suzette los sumían a ambos y temporalmente anulaban sus prejuicios: el desprecio de Fernande por Armand, la antipatía de Armand por Fernande. Pero aún no se habían tocado, aunque, por encima del contoneante vien-

233

tre de Suzette, sus rostros estaban sólo a un centímetro de distancia.

Y entonces tuvo lugar el increíble momento, un momento fuera del tiempo, que no formaba parte del cómputo ordinario de este mundo: las puntas de sus lenguas se encontraron en una caricia mínima y sin embargo más íntima que si la hubiera penetrado. No era sólo el dislocado deseo de Armand el que buscaba la caricia, ni siquiera el de Fernande, sino una repentina compulsión psicológica que invadió a ambos y dirigía sus caricias.

Entre ellos, Suzette gritaba y levantaba las caderas y las temblorosas ingles del suelo para recibir un beso o una caricia que pusiera fin a su expectación. Pero Armand y Fernande la olvidaron mientras las pasiones que los asolaban les obligaron a abrir por fin la boca y sus lenguas aletearon la una en la otra en un húmedo y jadeante gozo. Todas las sensaciones físicas, los más voluptuosos sentimientos que habían experimentado en sus vidas, todas sus esperanzas y anhelos, toda la ternura de la que cada uno era capaz... absolutamente todo se concentró en aquel momento en sus lenguas, que culebreaban exquisitamente juntas.

Los gemidos y la agitación de Suzette sobre la alfombra entre ellos hicieron prender la locura en el trance de éxtasis de ambos. Era como si sus almas se hubieran unido y pudieran llegar a la mente del otro; en el mismo instante cada uno puso una mano entre las piernas abiertas de Suzette y le acariciaron rápidamente el interior de cada muslo hasta que sus manos se encontraron en el carnoso *jou-jou*. Ante este nuevo contacto se detuvieron como si estuvieran hechizados, la caricia de los dedos del otro era más excitante que la caricia de la tierna parte de Suzette a la que en el pasado ambos hacían el amor con tanta pasión.

Suzette estaba tan abierta y lubricada de deseo que los dedos se deslizaban con facilidad en ella, hasta donde les aguardaba el henchido botón. Las yemas de sus dedos lo acariciaron al unísono, con el mismo ritmo profundamente sensual que las caricias que intercambiaban sus lenguas, y Suzette gritó cuando el orgasmo la golpeó como un puñetazo, y desatados espasmos la sacudieron de la cabeza a los pies. Gritó al compás de las contracciones de su vientre y arqueó la espalda del suelo para enristrarse en los dedos que le daban tan dulce solaz.

Sobre el cuerpo agitado, Armand y Fernande estaban ebrios de éxtasis y, cuando Suzette ya no necesitó más sus caricias, se unieron en una nueva y gozosa intimidad. Mientras las lenguas continuaban besándose, las manos, viscosas de la pasión de Suzette, se buscaban a ciegas por encima de su cuerpo, ahora relajado salvo por esos ocasionales y moderados temblores que preceden al arrobamiento. Aunque ni Armand ni Fernande se atrevían a pensarlo, anhelaban en secreto las partes más queridas de la entrepierna del otro.

La mano vacilante de Armand tocó la piel tibia y satinada, luego los espesos rizos y luego la tierna y suave carne de Fernande. Suspiró como si su corazón se quebrara de felicidad y, al cabo de unos momentos, penetró inesperadamente con los dedos en el santuario que Fernande le había prohibido siquiera tocar. La oyó jadear, y contuvo el suspiro de dicha celestial cuando ella le tocó la verga con la mano por un instante y la retiró. ¿Se la cogería? ¿Se atrevería a hacerlo? ¿Le resultaba más difícil tocarle el orgullo con los dedos que la lengua con la suya? Mientras aguardaba, Armand deslizó la punta de un dedo sobre el botón secreto.

¡Sí! Fernande volvió a tocarle y esta vez rodeó la robusta saeta con los dedos, aunque sólo durante un instante, antes de volver a soltarla.

«Paciencia... ten un poquito más de paciencia», se dijo a sí mismo, aunque sus emociones eran tan intensas que apenas podía respirar.

Luego Fernande le acercó la mano al vientre para encontrar de nuevo su reciura y se la agarró, al principio con timidez y luego con resolución. Parecía que Fernande se había decidido por fin, pues empezó a complacerle con rápidos vaivenes de muñeca.

Armand se puso de rodillas tambaleándose y Fernande se incorporó con él, al otro lado de Suzette, para ofrecerse el cuerpo el uno al otro. Se miraron a los ojos, fue una mirada tan profunda que ambos sintieron que penetraban en el alma del otro. Por distintos, incompatibles, contrarios y opuestos que fueran sus caracteres, reconocieron en silencio que tenían algo en común: un ramalazo compartido de perversa sensualidad que Suzette, a pesar de su avidez de placer, era incapaz de igualar o compartir con ninguno de ellos.

—Fernande... eres adorable —dijo Armand, jadeando.

—Armand... —murmuró ella.

Armand se inclinó hacia ella, para sellar con un largo y ardiente beso su tácito acuerdo, y Fernande se inclinó hacia él, con la boca, pintada de carmín, abierta para recibir el homenaje de su lengua. Pero la presión de la sensación que había creado dentro de Armand desde que llegaron al apartamento dispuestos a entablar la tierna batalla por Suzette —e incluso antes que eso, cuando él atormentó a Fernande en el taxi— había llegado a un punto que su cargado sistema nervioso no podía resistir más.

—Ah, sí —murmuró Fernande con compasión, reconociendo los signos familiares.

Armand abrió los ojos desenfocados y contempló en blanco la nada, mientras estallaba la presa y el espumeante torrente que se liberó se desbordaba sobre el vientre desnudo de Suzette. Intentó acercar a Fernande, con la esperanza de hacerle compartir su placer, pero pronto se le iban las fuerzas a través del miembro que saltaba salvajemente y las manos se le cayeron. Se zarandeó hacia adelante sobre Suzette y ella se retorció y murmuró cosas incoherentes, hasta que se descubrió a sí mismo con el pecho sobre el húmedo vientre de Suzette.

Se había resbalado de la cálida palma de Fernande, pero, aunque los increíbles momentos de éxtasis habían pasado, el recuerdo dorado le hizo temblar y conservar la dureza. Fernande se tumbó de espaldas en el suelo, con tal expresión de arrobamiento en el rostro que Armand no había visto jamás, las piernas abiertas para ofrecerle su húmedo bolsillito. Los últimos estertores del placer se desvanecían cuando posó las manos sobre los esbeltos muslos de Fernande y con gran ternura los apartó y contempló en estupefacto delirio su secreto de vello oscuro.

La acarició con delicadeza y separó los grandes labios rosados para ver su brillante flujo. Los abrió como si fuera una flor, como si fueran los suaves pétalos de una rosa.

–Fernande, Fernande... –suspiró.

Le puso las manos debajo del trasero y hundió los dedos en la tensa carne de las lisas nalgas, y la arrastró hasta colocarla con las piernas dobladas y abiertas sobre el vientre de Suzette y con sus propios hombros entre los muslos. Bajo los cariñosos dedos el botón secreto estaba tan duro como los pezones de sus pechos, y Armand bajó la cabeza entre las piernas y la besó. Fernande empezó a suspirar en voz alta mientras él la penetraba lentamente con el índice hasta las húmedas profundidades, cada vez más hondo.

Deseaba meter el distendido orgullo masculino allí donde tenía el dedo y bregar dentro hasta que Fernande gritase de placer y él derramara su fuerza en ella.. Pero a pesar de lo excitado que estaba, sabía que eso era un sueño fútil, una fantasía que nunca se haría realidad... la reacción de Fernande habría sido la contraria de la que él pretendía.

Fernande gimió cuando él le hundió la lengua húmeda y aleteó sobre el botón. A medida que su excitación ascendía hacia la cima, alargó a ciegas una mano temblorosa para acariciar el rostro de Suzette, y Suzette le cogió la mano ensortijada, se la llevó a los labios, besó la suave palma y deslizó la punta de la lengua contra ella. Fernande metió el pulgar en la boca de Suzette y Suzette lo chupó fuerte, sujetándole la muñeca para meterse y sacarse rápidamente el pulgar de entre los húmedos labios.

Tenía la espalda fijada al suelo por el peso de las piernas de Fernande y del pecho de Armand sobre su orondo vientre, pero a pesar de ello se las arregló para elevar los hombros y sujetarse sobre un codo con objeto de observar los momentos cruciales de la querida Fernande. Su mano viajó lentamente por el cuerpo de Fernande hasta los pechos y le cogió los pezones duros y rosados. Sobrecogida por las sensaciones que manaban de las manipulaciones de Suzette y de las atenciones de Armand entre sus muslos, Fernande gimió y el vientre batió en los ardientes espasmos del clímax.

9

Secretos revelados

Oír que la mujer que adoras hasta la locura se ha reconciliado con su marido infiel hasta el punto de permitirle pasar la noche con ella en la misma cama, descompondría a cualquier amante. Pues despierta la angustia de los celos ver mentalmente a otro hombre tumbado desnudo y con el perno tieso junto a la mujer adorada, mientras le acaricia los pechos. Y tortura hasta la desesperación imaginársela abriendo las esbeltas piernas para que la escrutadora mano del intruso le acaricie el bonito *jou-jou*.

Que el hombre en cuestión sea aún su marido y tenga, tal como reconocen el Estado y la Iglesia, el firme derecho a gozar de tales intimidades con ella, no es ningún consuelo para el agraviado amante. De hecho, podría decirse que añade ofensa y dolor. Y lo que hace aún más perverso a todo este desgraciado embrollo es oír las desoladoras noticias sobre el flagrante acto de traición de la adorada con el idiota de su marido de boca de su propia hermana en una conversación informal.

Todo ello se mezcla para producir una experiencia desencantadora en extremo. Huelga decir que Armand quería hablar con Madeleine y exigirle que le aclarase si la historia de su hermana era cierta o no, aunque no confiaba en que Yvonne hubiera mentido. Pero Madeleine no estaba en París ese día y no se esperaba su regreso hasta última hora de la noche y, al caer ésta, Armand había saciado el fuego de la pasión con ayuda de la propia Yvonne.

Total que se fue a la cama aliviado porque se había pospuesto, cuando no evitado, una amarga pelea de enamorados entre él y Madeleine. Al despertarse a la mañana siguiente y reflexionar sobre el asunto, se había resignado bastante limpiamente a perder a Madeleine si sucedía lo peor o, en el mejor de los casos, a compartir sus encantos en secreto con su marido. Telefoneó para quedar con ella, citarla para resolver las cosas de un modo satisfactorio. Pero a las diez de la mañana ya había salido, según la criada que respondió, y no había dejado dicho a qué hora volvería.

Hacia las diez en punto de esa noche Madeleine no le había devuelto la llamada y, cuando volvió a intentarlo, le dijeron que aún no había regresado. Así es que se encogió de hombros, convencido de que su historia de amor era cierta. Mientras esto sucedía Armand hizo otros planes para el día siguiente, pues cuando el corazón de un hombre se rompe irremisiblemente –machacado y pisoteado por la mujer que adora–, éste tiene gran necesidad del solaz que otras mujeres pueden brindarle. Es decir, que Armand planeó llevar a Suzette Chenet a cenar esa noche y después beneficiarse del muy considerable consuelo de sus encantos juveniles.

Como es natural, aún pensaba en telefonear a Madeleine para oír lo que ella tenía que decir, aunque fuera: «adiós», pero antes de que pudiera poner en práctica su intención, Fernande Quibon llegó a su casa y le deparó atenciones muy poco corrientes. Eso les condujo a la fascinante pregunta de cuál de los dos tenía más derecho a disfrutar de los placeres de Suzette, a quien Fernande reclamaba como su protegida.

El resto del día se dedicó con mucho placer a dirimir la intrincada pregunta, no es que se pueda decir que fue definitivamente zanjada –no, en ningún sentido–, pero

Armand y Fernande llegaron a un compromiso y compartían a la muchacha. Después de habérsela trajinado con la mano sobre la alfombra en el salón de Fernande, se fueron a la cama y se acostaron con Suzette desnuda mientras jugaban con ella y entre sí.

Durante la noche, a Armand le despertaron los murmullos y los suspiros de una mujer a la que la otra daba gusto. Se encontraba estrujado entre dos cuerpos desnudos, y con las cortinas corridas estaba demasiado oscuro para ver quién era quién. No es que le importara cuál de las mujeres ofrecía a la otra un éxtasis jadeante, pues era la séptima o la octava vez para cada uno desde que se metieron en la cama.

Tampoco es que se olvidaran de Armand, pero tumbado medio dormido en la oscuridad, escuchando los suaves murmullos y gemidos, su miembro lacio demostró su insistencia agrandándose y endureciéndose de nuevo. Estaba tumbado de costado y ambas mujeres tenían una pierna sobre él, y un brazo alrededor de la cintura para acariciar el cálido y peludo *minette* de la otra. Al cabo de un momento la arrugada cama se sacudió debajo de él debido a las convulsiones de éxtasis y Armand supo que, por muy agotado que estuviera, tenía que hacerlo otra vez.

El tibio cuerpo que se hallaba ante él se volvió perezosamente con un suspiro de contento y las suaves nalgas de un culo desnudo se acurrucaron contra él. La mujer que estaba detrás de Armand retiró el muslo de encima de su cintura y se volvió, apretando otro cálido trasero contra él. Armand palpó a ciegas para acariciar la suave carne femenina y, con dedos cuidadosos, separó los húmedos labios de debajo de las nalgas y guió su presto cincel hasta el interior.

Fuera quien fuese la que había enfilado, profirió un grito reprimido de sorpresa, pero Armand no era capaz de discernir si el chillido era de Suzette o de Fernande. ¡Ni quería saberlo! Le habría resultado muy fácil identificar a su compañera, sólo con incorporarse sobre el cuerpo y palparle los senos: si eran generosos y redondos, estaba espetando a Suzette, y si eran pequeños y puntiagudos, a Fernande. Pero era delicioso no saberlo, y apartó las manos del cuerpo tembloroso al que empitonaba a ritmo sostenido pero sin prisas.

Le resultó muy excitante imaginar que Fernande estaba tan ebria de placer que le dejaba penetrarla. Tal vez no fuera probable, pero no importaba, en los hombres como Armand el poder de la fantasía es muy fuerte y hacía que el báculo de carne que metía y sacaba se hiciera más grueso y más duro segundo a segundo. Suspiró y gimió mientras se imaginaba con los ojos cerrados el cuerpo esbelto de Fernande, desnudo y pálido, tendido ante él para su placer, y enseguida se convenció de que estaba regocijándose dentro de la raja de vello oscuro de Fernande.

Los esfuerzos amatorios de las horas precedentes habían mermado tanto sus fuerzas que tardó un buen rato en llegar al destino deseado. Se meció hacia adelante y hacia atrás hasta que por fin fue recompensado: el cura calvo que había metido en el púlpito se sacudió y soltó el sermón, para el embeleso de la congregación que le aguardaba con tanta paciencia. Para ser honestos, no fue la prédica tan fluida, no fue más que un sermoncito de dos palabras vacilantes, pues el cura había hecho uso antes de toda su notable elocuencia, pero era una bendición que dejó a Armand tembloroso y jadeante de alivio.

Después se durmió profundamente, y si se produjeron más tiernos episodios entre las mujeres desnudas que lo flanqueaban en la cama, no le molestaron ni fue consciente de ellos. Cuando despertó ya había la suficiente luz del día detrás de las cortinas como para ver que sus dos compañeras estaban dormidas, Suzette acurrucada fuera de la vista bajo la arrugada sábana de satén, asomando sólo la coronilla, mientras que Fernande estaba totalmente destapada, tumbada de espaldas con un brazo bajo la cabeza. Armand se quedó inmóvil y contempló su elegante cuerpo desnudo durante un rato.

Los esbeltos muslos estaban juntos y era imposible ver más allá de la mata ensortijada entre ellos, una sombra de un marrón tan oscuro que era casi negro. Armand los contempló y se preguntó si esos muslos se habían verdaderamente abierto para él durante la noche... ¿Había penetrado en su recinto secreto desde atrás? Aunque así hubiera sido, estaba seguro de que nunca lo admitiría, ni siquiera a sí misma. Los secretos de la noche permanecerían ocultos para siempre.

Con cuidado para no despertar a Suzette, se levantó de la cama y buscó su reloj de oro sobre el tocador. Eran casi las once. Sus ropas estaban sobre una silla, y en un momento las cogió y abandonó la habitación en silencio. El espejo del cuarto de baño no le halagó; tenía círculos oscuros bajo los ojos y un asomo de barba negra en las mejillas. Se lavó la cara con agua fría, se vistió y salió del apartamento para buscar un taxi en la esquina de la Rue de Varenne.

Madame Cottier estaba atareada limpiando y barriendo cuando llegó a casa. Le sonrió con el cómico sobreentendimiento que reservaba para las ocasiones en que Armand pasaba toda la noche fuera, le preparó leche caliente para que se la tomara con los croissants en lugar de café y le abrió la cama para que descansara. No se levantó hasta las seis de esa tarde, con un hambre feroz. Se duchó y se afeitó y salió a tomar una cena reparadora.

Por todas estas razones perfectamente comprensibles,

243

tan inesperadas intervenciones del destino, por así decirlo —hacer el amor a las esbeltas piernas enfundadas en medias de Yvonne cuando acudió a su casa, luego dejarse seducir por las bragas moradas de Fernande, luego participar con ella en el estupro de la pequeña Suzette y el descubrimiento de que él y Fernande podían ser amigos después de todo—, con tan importantes acontecimientos como habían ocurrido, no es de extrañar que no tuviera tiempo para ponerse en contacto con Madeleine y reunirse con ella con la intención de saber el final de su historia de amor.

Después de una opípara cena y una excelente botella de vino tinto, tenía ganas de dar un paseo; era una agradable tarde de otoño y soplaba una brisita afilada y tonificante por el bulevar que hacía acelerar el paso a las parejas que paseaban. Al cabo de veinte minutos o así, Armand entró en el primer bar que vio y, por encima de una copa de coñac, pensó en Madeleine. Después de su segunda copa llegó a la conclusión de que lo había tratado muy mal. Los buenos modales y la decencia requerían que Madeleine le informara de que había decidido regresar con Pierre-Louis.

Pero no, no había existido una despedida directa, aunque reprobable; en cambio, llevaba evitándole tres días, ni se ponía al teléfono ni respondía a sus llamadas. Con toda honestidad, debía admitir que no había intentado telefonearla cada día, otros asuntos habían acaparado su atención, pero podía decir con la mano en el corazón que lo sentía de veras. Y no había razón en la tierra que impidiera a Madeleine ponerse en contacto con él. ¡Madeleine se lo debía!

Aunque Armand había empezado la noche tomándoselo con encomiable filosofía, al dar las diez llegó a un estado de gran indignación por el modo en que Madeleine

244

se había comportado con él. Se dirigió hacia el teléfono de la pared del fondo del bar y se devanó los sesos hasta recordar el teléfono de Yvonne. Cuando respondió la doncella, pidió hablar con Madame Beauvais, sólo para que volvieran a decirle que no estaba en casa.

—Escúcheme y escúcheme bien –dijo lentamente–. Vaya y dígale que como no se ponga al teléfono antes de que cuente hasta veinte, lo siguiente que oirá es a mí aporreando la puerta... y no me iré hasta que haya hablado con ella. ¿Me comprende?

—Sí, Monsieur –respondió la doncella, algo desencajada–. Un momento, por favor.

Siguió una larga espera. Armand se inclinó contra la pared, sujetándose el auricular en la oreja mientras luchaba con una mano por llevarse un cigarrillo turco de su pitillera a la boca y encenderlo. Supuso que la doncella le había comunicado el ultimátum y que Madeleine estaba consultando nerviosa con su hermana Yvonne cuál sería el mejor modo de manejar este asunto. Los veinte segundos de su amenaza pasaron y se convirtieron en un minuto y luego en dos, pero, a pesar de toda su paciencia, la voz que por fin hablaba con él era la de Yvonne y no la de Madeleine.

—¡Armand! –dijo, absolutamente furiosa–. ¿Cómo te atreves a interrumpir mi fiesta con tus estúpidas llamadas? ¡Cuelga ahora mismo!

—No hasta que haya hablado con Madeleine –dijo con denuedo–. Cuanto antes la convenzas de que se ponga al teléfono, antes te dejaré en paz.

—¡No está aquí... ya te lo ha dicho la doncella!

—No te creo. Tu doncella lleva diciéndome lo mismo desde hace días.

—¡Pero es cierto! Madeleine no está aquí.

—Entonces, ¿dónde está?

245

–¿Dónde va a estar...? Con su marido.

Y con eso, Yvonne colgó el teléfono. Armand se tomó otra copa de coñac mientras ponderaba si la información que le había dado Yvonne era cierta o falsa. Luego telefoneó a casa de los Beauvais. Respondió un criado y le dijo que Madame no estaba, confirmando sus sospechas de que Yvonne le había estado diciendo un hatajo de mentiras. Pidió hablar con Monsieur Beauvais y se enteró de que Pierre-Louis no estaba en París y no había dicho cuándo regresaría.

La indignación de Armand no conocía límites. Se precipitó a la calle, cogió un taxi y ordenó apresuradamente al taxista que fuera cada vez más rápido, mientras volaban peligrosamente entre el tráfico nocturno de los grandes bulevares hasta la Place de la Concorde con sus parejas de paseantes y el obelisco, y que subiera por la larga Avenue des Champs-Elysées iluminada por las farolas. Ignorando cualquier amenaza a su vida y a su integridad física, y prometiendo al taxista tarifa doble, Armand llamaba a la puerta de Yvonne en menos de un cuarto de hora de salir del bar.

La doncella que le abrió la puerta sabía quién era, claro está, e intentó decirle –con el mayor de los pesares– que tenía órdenes de no dejarle entrar. Pero Armand no estaba de humor para ser contrariado por una doméstica. La empujó a un lado y entró en la casa sugiriendo a la doncella que fuera y le dijera a Madame Beauvais que estaba allí, como le prometió por teléfono. De otro modo no tendría más remedio que interrumpir la fiesta de Madame Hiver.

En breve Yvonne llegó al vestíbulo hecha una furia, moviendo las aletas de la nariz de ira. Lucía un espectacular vestido de oro mate que le cubría un hombro y dejaba el otro desnudo, de manera que el seno izquierdo estaba totalmente tapado y el derecho se veía hasta casi el pezón. Pero, por una vez, Armand no estaba de humor para prestar atención a los placeres de la alta costura.

—¡Otra vez Madeleine se niega a verme! —exclamó—. A mí que la he idolatrado como a una amante adorada. Es demasiado. No intentes detenerme, Yvonne, voy a sacarla de la fiesta por los pelos.

—Armand, por el amor de Dios, cálmate —dijo enseguida Yvonne, temiendo que sus amigos asistieran a una escena desagradable—. Madeleine no está aquí, se fue hace unos días.

—¿Se fue? Entonces, ¿dónde está?

—Con Pierre-Louis, por supuesto.

Armand cogió a Yvonne por los hombros y la zarandeó tan fuerte que sus largos pendientes de perlas oscilaron salvajemente y la perfección de su lustroso cabello negro se vio algo alterada.

—No vas a embaucarme por segunda vez —le dijo con indignación—. No puede estar con Pierre-Louis porque sé que está fuera. Dime la verdad, ¿dónde está Madeleine?

—Baja la voz —exclamó Yvonne, dirigiendo una mirada nerviosa por encima del hombro desnudo hacia la puerta cerrada que se encontraba a su espalda—. Ven conmigo un momento.

El cuartito al que la siguió estaba amueblado con un precioso escritorio de nogal y una estantería repleta de libros, era evidente que se trataba del estudio de Jean-Roger cuando se quedaba en casa con su familia.

—No trates de acallarme —le advirtió Armand—. No estoy de humor para ser razonable ni discreto.

—¡Qué hombre más imposible! —le dijo Yvonne, empezando a perder los nervios—. ¿No te cabe en la cabeza que Madeleine no desee verte? Has sido su amante unas semanas y ya no lo eres; tan simple como eso. ¿Imaginas que te pertenece toda mujer que permite que le hagas el amor? Mientras Armand intentaba cogerla por los hombros para volver a zarandearla, Yvonne retrocedió para evitarlo y se encontró arrinconada contra la pared del estudio. No pudo retroceder más. Él la sacudió hasta que los puntiagudos senos oscilaron debajo del fino vestido dorado.

–¿Dónde está Madeleine? –preguntó con una voz tan convencida que Yvonne comprendió que era inútil contemporizar por más tiempo.

–Ha perdonado a Pierre-Louis. Se han ido juntos a pasar una segunda luna de miel.

–¡No te creo! –exclamó Armand–. ¿Dónde la ha llevado? Debo saberlo.

–¿Por qué? ¿Intentas perseguirlos? Sé razonable, se acabó.

–¿Dónde la ha llevado?

–¿Qué importa eso? Regresarán dentro de unas semanas.

–¿Cómo ha podido marcharse sin una palabra de despedida? –le exigió Armand con rabia–. Y Pierre-Louis, siempre hemos sido los mejores amigos, ¿por qué no me cuenta nada sobre sus planes? No hace tanto estaba lo bastante nervioso como para acudir a mí y pedirme que intercediera ante Madeleine.

La sonrisa que apareció en el rostro hermosamente maquillado de Yvonne fue sesgada y arrogante.

–Bueno, no puedes culpar a nadie más que a ti de lo que ha sucedido –le informó–. Pierre-Louis por fin convenció a Madeleine de que todo aquel asunto con la muchachita de la Rive Gauche había terminado, explicándole que tú te habías ocupado de ella y ahora era tu nueva amiga.

–¡Dios mío... no le diría eso a ella!

–Sí se lo dijo, querido. Puedes imaginarte que la opinión que Madeleine tenía de ti cambió al instante, y no para mejor, cuando oyó que tú dormías con lo que Pierre-Louis dejaba. En tales circunstancias, no esperarás tiernas y lacrimógenas despedidas por su parte.

—¡Pierre-Louis es un traidor! —exclamó Armand angustiado—. Un mal amigo indigno de confianza... Nunca más volveré a hablarle.

—Has sido un perfecto idiota y no tienes más que lo que te mereces —comentó Yvonne con frialdad—. Ahora vete de aquí inmediatamente y deja de enturbiarme la velada.

Sus palabras burlonas y la desdeñosa expresión de su rostro irritaron a Armand superlativamente. Avanzó un paso y la atrapó contra la pared a rayas grises, apretando fuerte el vientre contra el de ella.

—Detente —dijo Yvonne bruscamente.

Le devolvió una sonrisa insolente y le pasó el brazo por la cintura para sujetarla, mientras con la otra mano bajaba el hombro tapado del vestido de noche de escote diagonal, revelando así ambos pechos.

—Suéltame antes de que me ponga a gritar —le amenazó furiosamente.

Armand le cogió con fuerza los carnosos encantos y le apretó los prominentes pezones.

—Grita todo lo que quieras. Tus amigos entrarán corriendo y te encontrarán así. Diré que me mandaste llamar porque la noche te parecía aburrida y necesitabas diversión.

Antes de que Yvonne pudiera replicar nada, le cerró la boca con un largo beso. Pronto le hundió la lengua entre los labios y, aunque se resistió todo lo que pudo, Armand notó que empezaba a temblar contra él.

—Pero ¿por qué...? —suspiró Yvonne cuando por fin le soltó la boca—. ¿Por qué me haces esto?

Sin molestarse en responder, bajó la mano por las rodillas y se la metió por debajo del vestido. Ella le cogió la muñeca y lo frenó cuando tocaba la lisa piel desnuda por encima de los bordes de las medias de seda.

—No, te lo ruego, Armand... ¡Ahora no y no aquí! Mañana... iré a tu casa, te lo prometo.

—Sí, mañana. Ven pronto, te haré cosas que te asombrarán y te fascinarán.

—A las once —dijo Yvonne rápidamente—. Estaré contigo a las once y me quedaré todo el día, te doy mi palabra.

Pero la esperanza era engañosa, Yvonne no le había disuadido en lo más mínimo de sus intenciones. Pese a las promesas de grandes placeres futuros si abandonaba la perspectiva de un placer furtivo presente, Armand utilizaba su mayor fuerza para introducirle la mano cada vez más arriba de los muslos, contra toda la presión que ella ejercía. Yvonne apretó las piernas todo lo que pudo, pero tenía los pies descuidadamente separados cuando se vio arrinconada contra la pared y ahora era demasiado tarde para cerrarlos; Armand había interpuesto los pies entre ellos.

Casi se queda patizamba tras el intento de cerrar los muslos, pero la mano de Armand debajo del vestido reptaba cada vez más alto. Cuando por fin notó los dedos deslizarse por la pernera abierta de las bragas y tocarle la suave piel, Yvonne profirió un largo suspiro de derrota y le soltó la muñeca.

—Por favor, Armand —le imploró con una voz que casi carecía de esperanza—. Aguarda a mañana... Te dejaré hacer todo lo que quieras, mañana.

Su única respuesta fue recorrer los espesos rizos de su vellón con los dedos. No tenía objeto intentar apretar los muslos y, al acariciarle los tiernos labios de su *bijou*, Yvonne abandonó toda resistencia. Relajó los músculos y abrió las piernas en una postura menos forzada, y al cabo de un momento notó la punta de un dedo introducirse en ella.

—Me dijiste que te excitaba sentirte indefensa —dijo Armand, con una mueca torcida en su bello rostro—. Bueno, ahora estás indefensa, querida Yvonne, como cuando acudiste a mi apartamento y te levanté las piernas en el aire con la espalda plana para jugar contigo, como estoy haciendo ahora.

Yvonne notaba dos dedos entre los muslos que la abrían para buscar su botón, y jadeó ante la sensación de un tercer dedo que se introducía en su humedad.

—Si entra alguien buscándome... —susurró ella.

—Entonces quienquiera que entre tendrá el placer de verte los hermosos pechos desnudos y mi mano bajo tu vestido —le respondió.

Siguió acariciándola hábilmente con una mano mientras se desabrochaba los pantalones, luego le cogió la mano y se la metió dentro de la hendidura de los calzoncillos.

—¡Tócamela, Yvonne! —le ordenó.

Al principio ella era reacia a aceptar esta colaboración forzosa, pero la fuerza y rigidez de la cálida saeta de carne que temblaba contra su mano pronto vencieron su renuencia.

—¡Oh, bien! —suspiró, y se encogió de hombros en un gesto de aquiescencia mientras le agarraba el orgullo y deslizaba la mano arriba y abajo de su sólida extensión.

La boca de Armand buscó la suya y su lengua aleteó en la de ella del mismo modo en que los dedos aleteaban sobre el sensible botoncillo. Yvonne suspiró en su boca cuando le levantó el fino vestido dorado hasta la cintura y tembló contra él de excitación cuando lo notó hurgar por debajo de las ropas y bajarle las elegantes bragas de seda y encaje hasta medio muslo.

Yvonne hundió ambas manos en los pantalones abiertos, para sacarle el pomo y guiarlo hasta su entrepierna. Su portal estaba abierto y preparado para Armand y él lo traspasó. El primer movimiento del visitante le llevó por el umbral hasta el gran vestíbulo, por así decirlo, del *petit palais* de Yvonne, en el segundo movimiento se deslizó magistralmente hasta medio camino del pasillo real, donde se sintió muy bien acogido, y luego el movimiento final llevó la henchida cabeza del invitado hasta el santuario más interior.

Para entonces a Yvonne ya no le importaba que alguien pudiera entrar a buscarla y sorprender cómo la satisfacían contra la pared del estudio. Armand bregaba con energía adelante y atrás y había puesto las manos detrás de ella para disfrutar de la forma y la textura de su culo. Mientras ella balanceaba la cintura rítmicamente contra él para recibir sus embestidas, Armand separó las nalgas por debajo del vestido levantado e introdujo la punta de un dedo en la tensa y cálida abertura.

Yvonne chilló débilmente y chocó el vientre contra el de Armand cada vez más deprisa y más fuerte. Cada vez que ella se impulsaba hacia adelante notaba su reciura resbalar dentro de ella, y cada vez que se retiraba, notaba el dedo hundirse un poco más. Y Armand... ¿qué hay de él? Con el dedo y el miembro rampante experimentaba las fieras palpitaciones del placer dentro del cuerpo de Yvonne; las contracciones regularmente medidas, adelante y atrás, de los dos aterciopelados canales que le abrazaban y lo mantenían cautivo como prisionero de amor.

Yvonne gemía en su boca abierta y clavaba las largas uñas escarlatas en las mangas de la chaqueta de Armand. Armand jadeaba y aceleró el ritmo hasta que Yvonne se estremeció como una hoja, luego la asoló un largo espasmo en el preciso instante en que su deseo triunfante fluía en ella en espesos chorros. Inundada de este modo, Yvonne expresó su apreciación del éxtasis en pequeños gritos, hasta que Armand se recuperó lo suficiente como para temer que la oyeran. Pero por fin volvió a serenarse, y se desplomó contra la pared con un largo suspiro de satisfacción.

—Eres un monstruo —dijo, mirándolo con curiosidad. Yvonne trazó la línea de su fino bigote negro con la punta de un dedo, gesto que hacían muchas mujeres.

—Un monstruo —repitió—. Supón que Jean-Roger se alarma por mi larga ausencia y me busca hasta que nos encuentra en su estudio. ¿Cómo le explicarías que tengo mi nuevo vestido de Paquin arremangado en la cintura y las bragas en las rodillas? No es un hombre celoso, como creo que sabes, pero le desagradará extraordinariamente descubrir que su fiesta para dos miembros del gobierno y un propietario de periódico, por no hablar de sus horribles esposas y amantes, se ha puesto en peligro debido a tus inoportunos apetitos. Podría hacerte algo drástico.

—¡Ah! ¿Tu marido está aquí esta noche? Eso no me ocurrirá —dijo Armand, retrocediendo rápidamente y abrochándose los pantalones—. ¿Por qué diablos no me lo advertiste?

—¿Habría cambiado eso algo? —le preguntó ella, subiéndose las bragas y colocándose bien el hombro del escote oblicuo a la vez—. Además, disfruto cuando me tratas con brutalidad, no puedes imaginar el renovador cambio que constituye con respecto a los halagos y las lisonjas que recibo normalmente. Y a decir verdad, la cena de Jean-Roger estaba siendo mortalmente aburrida y en realidad tú necesitabas que te entretuvieran. Y ¿quién mejor que yo? *Au revoir*, Armand.

Al día siguiente era domingo y ni por un momento pensó Armand que Yvonne mantendría su promesa de visitarle. Ni tampoco era una promesa en el sentido real, sólo una frenética e irreflexiva oferta para distraerlo de lo que se disponía a hacerle. Sin embargo, antes de las once de la mañana estaba al teléfono para decirle que se ponía el sombrero y el abrigo y estaría con él en un cuarto de hora. Colgó antes de que a Armand le diera tiempo a responder, de modo que se quedó de pie con el auricular en la mano y una expresión de sorpresa en el rostro.

Los domingos, la buena de Madame Cottier no iba a asearle el apartamento y Armand tenía que hacerse su propio café. Después de la llamada telefónica de Yvonne, retiró del salón la bandeja del desayuno y corrió a afeitarse y ducharse antes de que ella llegara. Sabía que, aparte de la gente que iba a misa o a almorzar temprano, apenas había tráfico en las calles que la retrasaran, y apenas le había dado tiempo a secarse y rociarse el cuerpo con *eau de cologne* de fragante olor cuando oyó el timbre de la puerta.

No le daba tiempo a vestirse, estaba llamando repetidas veces y con impaciencia. Ni siquiera pudo permitirse el decente gesto de volverse a poner el pijama, el timbre sólo le consintió envolverse en un batín de seda y correr hacia la puerta, atándose el cinturón por el camino. Y allí estaba Yvonne, con su abrigo de piel de leopardo y un sombrero alto de la misma lujosa piel amarilla, blanca y negra.

Miró a Armand con una expresión de desprecio en el hermoso semblante, reparando en todo, desde el cabello apresuradamente cepillado hasta los pies desnudos que asomaban bajo el batín.

—Ya veo —comentó con acidez—. Eres lo bastante narcisista como para hacerme creer que he venido aquí para que me maltrates y ni siquiera te has tomado la molestia de vestirte. Estás convencido de que caeré en la cama contigo en cuanto me tiendas los brazos... ¿o crees que puedes simplemente empujarme contra la pared y violarme otra vez?

Dijo todo esto en voz alta y acusadora en el rellano, donde Armand oyó pasos de alguien que bajaba la escalera desde un piso superior.

–Por favor, Yvonne, entra –dijo rápidamente, intentando cogerla por el brazo, pero ella le quitó la mano.

–Déjame aclararte algo que tal vez te sorprenda. No tengo el menor interés en ti como amante y no tengo intención de permitir ninguna repetición del horrible comportamiento de ayer. Descarta por completo cualquier espantosa fantasía que tu vulgar mentecilla haya concebido sobre mí. Estoy aquí por un asunto muy confidencial de interés familiar.

De pie en el umbral de la puerta, sorprendido de lo que ocurría, por encima del hombro de Yvonne, Armand deseó un cortés *bonjour* a Monsieur y Madame Bonfils, que bajaban la escalera desde el piso de arriba. Ambos levantaron el ceño al ver a Armand en batín, charlando en la puerta con una visita tan elegante. Madame Bonfils, que tenía cuarenta años y era gorda y vestía sin ningún gusto, frunció la boca en señal de desaprobación, pero su marido esperó a que se adelantara y luego guiñó un ojo a Armand a espaldas de Yvonne.

Cuando los Bonfils desaparecieron en el piso de abajo, Armand se disculpó con profusión ante Yvonne por la negligencia de su vestuario, o mejor dicho por la falta de él. Yvonne persistió en una expresión escéptica mientras Armand le explicaba los motivos: no era una afrenta al pudor de su persona, sino fruto de su precipitación al arreglarse, dado el poco tiempo con el que le había avisado de su agradable visita. Al final ella consintió en calmarse, al menos hasta el extremo de cruzar el umbral y entrar en el salón, aunque se dejó el sombrero y el abrigo puestos, con el pretexto de que sólo le llevaría un momento decir lo que tenía que decirle.

Se sentó en el sillón donde Fernande Quibon se había sentado cuando fue a disputar la posesión de Suzette con Armand. Y cuando Yvonne cruzó las piernas enfundadas en las medias de seda bajo el abrigo de piel de leopardo, de las profundidades de la memoria de Armand surgió una imagen de Fernande sentada en esa misma silla, desabrochándose despacio los botones negros de su traje sastre y luego abriéndolo de par en par.

«¡Qué momento!», pensó él, y también cruzó las piernas desnudas bajo la fina seda de la bata, para evitar que su miembro, permanentemente entusiasta, afirmara su presencia.

Recordaba incluso el pensamiento que le había acudido a la mente en el maravilloso momento en que Fernande le mostró los pechos de pezones rosados: qué fantástico habría sido tocar aquellos pezones con la punta de la lengua. Pero lástima, aquellas agradables reminiscencias fueron hechas pedazos por la voz de Yvonne exigiendo que respondiera a una pregunta de lo más humillante: «¿Comprendía por qué Madeleine había regresado con su marido?».

—Según tú, Pierre-Louis le dijo que yo había estrechado relaciones con su anterior novia —dijo Armand encogiéndose de hombros—. Estas cosas suceden, estoy seguro de que tú has tenido ocasión de comprobarlo.

—Bueno, bueno... Al menos comprendes por qué rompió la historia de amor contigo —dijo Yvonne dirigiéndose a él como si fuera un idiota con una comprensión limitada de la realidad—, pero ha llegado el momento de que te preguntes a ti mismo por qué Madeleine ha regresado con su marido en lugar de buscarse otro amante.

—¡Otro amante! —exclamó Armand indignado—. ¿Quién?

—¿Crees que eres el único hombre que se ha interesado en ella desde que dejó a Pierre-Louis? ¡No puedes ser tan vanidoso!

—¡Dime su nombre! —exigió Armand con vehemencia.

—Podría decirte una docena de nombres, pero admito con toda honestidad que mi hermana es fiel a un hombre a la vez. Tú y sólo tú has tenido el privilegio de ser su amante, aunque no has sido el único pretendiente.

—Se trata de Vincent Moreau, ¿no?

—Veo que estás decidido a evadir la pregunta más importante todo el tiempo que puedas —dijo Yvonne, mirándolo fríamente.

—Tu rostro presenta una expresión desagradable que me advierte que has venido para decirme algo malo que yo he hecho y no quiero saber —respondió Armand.

Claro que tenía razón, había una sonrisita maliciosa en el rostro de Yvonne. Ahora que había llegado el momento de la revelación, estaba decidida a disfrutarlo al máximo. Se reclinó hacia atrás en el sillón y se quitó los exquisitos guantes de cabritilla negros con una lenta deliberación que exasperó a Armand.

—Suéltalo —no pudo evitar decir, aunque sabía que era un error demostrar su irritación.

—Ah, ciertamente, pero hace mucho calor aquí... Claro que tú no debes de notarlo, pues estás completamente desnudo. ¿Puedes abrir una ventana?

—Imposible —respondió, feliz de poder negarle algo.

Yvonne se encogió de hombros y se desabrochó el abrigo de piel, para revelar un vestido de tafetán blanco y negro, largo hasta la rodilla. Se quitó el abrigo de los hombros y se tomó su tiempo para ponerse cómoda, extendiendo el faldón del abrigo para mostrar el forro de seda carmín y colocando los guantes sobre el bolso en su regazo. Cuando se disponía a lanzar su bomba, sonrió a Armand con una malévola dulzura.

–Madeleine ha regresado con Pierre-Louis porque está embarazada anunció con serenidad.

Armand no dijo nada. Estaba pensado en las implicaciones.

–¿Y bueno? –le azuzó ella–. ¿No tienes nada que decir?

–No, nada –respondió.

Su reacción hizo más que contrariar a Yvonne, despertó su resentimiento. Yvonne deseaba disfrutar de la angustia, la ira fútil y el caos, las palabras amargas, las emociones violentas, los gritos, las amenazas, las promesas, el gran drama y el bajo melodrama... cualquier cosa excepto esa calma.

–¿Te das cuenta de que tú eres el padre? –le acusó.

Yvonne consiguió que sonara como si hubiera cometido una ofensa tan perversamente «contra natura» que ningún miembro decente de la raza humana volvería jamás a hablarle.

–¿Quién lo dice... tú o Madeleine? –replicó.

–No tiene ningún sentido que sigas intentando engañarte a ti mismo. ¿Por qué supones que invitó a Pierre-Louis a visitarla el martes pasado y a que se quedara toda la noche? Para entonces ella ya sabía desde hacía al menos diez días que estaba embarazada. Cuando se lo diga a su estúpido marido, él creerá que el niño fue concebido esa noche y es suyo.

–Pero ¿por qué? Eso no lo comprendo –dijo Armand.

–Eres casi tan estúpido como Pierre-Louis –dijo Yvonne con malicia–. Ninguno de los dos la merece. Por razones que yo no acierto a comprender, Madeleine está enamorada de su marido. Sabía que su matrimonio estaba en peligro de derrumbe total cuando él encontró una amiguita, la primera de muchas, se temió ella. Y como es una

258

mujer práctica, dio los pasos necesarios para salvar la situación.

—¿Sugieres que se quedó embarazada deliberadamente? —preguntó Armand atónito.

—Claro que lo hizo, ¿te crees que es idiota? Dentro de unas semanas informará a Pierre-Louis de su estado... y él no cabrá en sí de gozo al saber que por fin va a ser padre, después de ocho años de matrimonio.

—¡La duplicidad de las mujeres! —exclamó Armand.

—Una defensa necesaria contra la infidelidad de los hombres —fue la réplica inmediata de Yvonne—. Nada de esto habría sucedido si Pierre-Louis hubiera amado a Madeleine como ella le ama a él.

—He vuelto a ser utilizado —dijo Armand en un repentino ataque de exasperación—. Parece ser que estoy destinado toda mi vida a ser explotado por las mujeres para sus turbios propósitos.

—¡Qué engreído..., explotado! El placer de hacer el amor con mi hermana fue una recompensa más que generosa a tu modesta contribución a la salvaguarda del matrimonio.

—No me subestimes —dijo Armand indignado—. Has experimentado mis habilidades como amante... y eres muy consciente de que el placer que brindo no es ni modesto ni parco.

—Te halagas a ti mismo —respondió desdeñosa—. Me hiciste más con los dedos que con ninguna otra cosa. Yo sola podría haber hecho mucho más por mí misma.

Armand pensó algún insulto para destruir su arrogancia. Mentalmente ya lo había hecho, al recordar cómo la sujetó tumbada de espaldas indefensa con las piernas en el aire mientras la forzaba a una sucesión de éxtasis. Pero en una batalla verbal sabía que podía salir perdiendo, así que prefirió la forma de venganza masculina más primitiva que se le ocurrió.

—Creo que es mejor que te vayas, Yvonne, pero antes de hacerlo, hay algo que debo recordarte... algo que ayer te proporcionó gran satisfacción.

Mientras hablaba se desanudó el cinturón y se abrió el batín para revelar el amenazador instrumento erecto entre los muslos.

—¡Eres asqueroso! —exclamó ella.

Yvonne se levantó de inmediato, con los guantes y el bolso en la mano, y se dispuso a coger el abrigo de piel para alejarse de la escena del insulto. Armand se puso en pie como accionado por un resorte, se quitó el batín y la cogió por la cintura. Estorbada por el abrigo, los guantes y el bolso, a Armand le resultó fácil derribarla de los tacones altos y ponerla cabeza abajo sobre el brazo del sillón en el que había estado sentada, con el rostro contra el almohadón y el trasero en el aire. Armand la sujetó fuerte por detrás con una mano en la espalda.

—¡Cómo te atreves a tratarme así! —gritó ella.

Armand sonrió y le metió la otra mano bajo el vestido negro y blanco entre las piernas. Su sonrisa se convirtió en una carcajada cuando tocó la carne desnuda, tan suave y tan vulnerable bajo sus dedos, por encima de los límites de las medias.

—¡No te atrevas a tocarme, degenerado criminal! —dijo Yvonne furiosa.

Se debatió lo bastante como para que el sombrero de leopardo se le cayera desde la cabeza al almohadón del sillón.

Armand introdujo los pies desnudos entre los delgados tobillos de Yvonne y le apartó las piernas de una patada sin detenerse a pensar si le había amoratado la pálida carne. Cuando tuvo las piernas bien separadas, palpó más arriba, hasta que sus inquisidores dedos tocaron el encaje y luego la seda de la ropa interior. Yvonne pasó a la defensiva, zarandeando el vientre sobre el brazo del sillón. Intentaba darle patadas en las piernas, y en otras partes más vulnerables, pero Armand estaba demasiado cerca. Con exquisita lentitud, los dedos entraron en la holgada braguita, para tocar los cortos rizos y los suaves pliegues de la entrepierna de Yvonne.

Le levantó el crujiente vestido de tafetán por encima de la grupa y descubrió que sólo una combinación de crespón de china –tan fina que casi era transparente– ocultaba los encantos de su esbelto cuerpo. De inmediato le levantó la liviana prenda, sin el menor cuidado por si la rompía o no, y puso la mano izquierda plana sobre la tibia piel lechosa de la exigua espalda y el flexible espinazo, para sujetarla boca abajo. Para entonces la sangre le hervía en las venas y el tallo se le ponía cada vez más grande. Para acelerar el placentero proceso, se lo agarró firme en la mano y se lo meneó contemplando las preciosas bragas de Yvonne.

Eran del mismo delicado crespón de china que la combinación, un tono delicadísimo de marfil puro con puntillas y encajes que a una modista experta habría llevado horas coser. Pero claro, en aquel momento toda la elegante costura no le sirvió de nada. Los ojos de Armand se le pusieron como platos de deseo al observar cómo la fina tira de seda y encaje de la entrepierna de Yvonne se le había metido en la raja de las tersas nalgas, y al ver su verga palpitante aumentar de tamaño y reciura y saltar de enérgico vigor.

–Una vez más nos volvemos a encontrar en una situación poco convencional, querida Yvonne.

Armand frotaba perezosamente los dedos arriba y abajo de la tira de encaje, para disfrutar de la calidez de la raja.

261

—Ayer pusiste la espalda contra la pared para mí —prosiguió con sorna—, y hoy estás tumbada boca abajo sobre el brazo del sillón. Es evidente que sentimos cierta afinidad el uno por el otro.

—Déjame levantarme —respondió, añadiendo palabras que nunca debe emplear una mujer casada de buena familia, y algunas de ellas ni siquiera debe conocer.

La posición invertida había tensado las bragas entre las piernas, y la fina tira de satén se le había metido no sólo en la raja del culo sino en la hendidura de su emplazamiento secreto, dejando los labios un poco abiertos. Armand contempló esa visión maravillosa un segundo, con un dedo agarró el satén y lo sacó, sólo para meter un pulgar en su lugar. El iracundo grito de Yvonne le divirtió y, para sulfurarla más, le bajó las delicadas braguitas hasta medio muslo.

—He descubierto en qué consiste esta afinidad entre ambos —dijo él, acariciando las satinadas nalgas que acababa de desnudar.

—Esto es indecente... Basta de imbecilidades y suéltame enseguida —le ordenó con voz ronca.

—Hay algo en ti, Yvonne... podría definirlo como cierta arrogancia. Pero la arrogancia supone una pretensión de superioridad de la que me parece que careces, de modo que podríamos llamarlo un burlón desprecio por los demás. Pero lo llamemos como lo llamemos, lo cierto es que tu actitud invita a la violencia... estás suplicando que te humille rudamente. En resumen, me propongo abusar de ti.

Le separó las nalgas y frotó el pulgar sobre el nudillo de músculo. Por un momento estuvo tentado de violar a Yvonne más allá de sus oscuros temores e imaginaciones y endilgarle la tranca por aquella pequeña abertura, pero se controló e incluso se resistió a la tentación de hundirle el índice en él. En cambio, restregó la henchida cabeza de su ansioso miembro por la profunda división del velludo melocotón.

Con las bragas enredadas en los muslos, Armand no pudo apartarle más las piernas y, con el fin de prepararla para su entrada triunfal, le abrió los tiernos labios rosados con los dedos, hundiendo un dedo, luego dos, en busca del oculto botón. Yvonne empezó a sacudirse y levantar y bajar la grupa ante sus dedos. Y cuando los dedos se humedecieron de la excitación de Yvonne, a Armand se le ocurrió que una vez más estaba siendo explotado. Yvonne le había provocado deliberadamente para disfrutar del drama de imaginarse a sí misma víctima de una violación, pero una víctima controlada.

Aunque estaba muy excitado, no tenía ningún motivo para satisfacer a una persona tan desagradable como Yvonne. Retrocedió un paso de ella y le dio una sonora palmada en el culo.

–Levántate, Yvonne –le dijo, con toda la indiferencia que le era posible a un hombre desnudo con el nabo temblequeante a un palmo de una hermosa mujer medio en cueros–. He de comer con una amiga muy querida dentro de media hora y tengo que vestirme. A ella no le gusta esperar.

Perpleja, patidifusa y estupefacta ante semejante y repentina falta de interés por parte de Armand en el preciso instante en que ella esperaba la sólida penetración en su receptáculo abierto –trabada por las bragas en las rodillas–, Yvonne se dio media vuelta para mirarlo. Su mirada furiosa bajó desde el rostro sonriente de Armand hasta la dureza que se izaba impúdica entre los muslos desnudos, y se derrumbó de costado sobre el tapizado brazo del sillón. Armand se quedó con los brazos en jarras intentado adivinar qué iba a hacer ella para rectificar la si-

263

tuación, una situación que sin duda a Yvonne le resultaría humillante en extremo.

De un modo inexplicable –al menos inexplicable para Armand–, al rodar sobre el sillón, a Yvonne se le había levantado el vestido hasta la cintura y se sentaba despatarrada sobre el asiento, con las piernas de sedosas fundas estiradas torpemente y la mata de rizos oscuros de la entrepierna al descubierto. Se puso la mano de largos dedos sobre los ojos, como para ocultar la vergüenza –emoción con la que no tenía la más mínima familiaridad desde que cumplió los once años–, y Armand se fijó en que le miraba a través de los huecos de entre los dedos.

«Bien, Madame –pensó él–, estoy seguro de que estás a punto de sorprenderme de algún modo.»

Y bien que lo sorprendió; arrellanada en aquella impúdica postura empezó a gemir y chillar, a sollozar histéricamente, y luego a amenazar a Armand con todas las formas de castigo imaginables por su violento y abyecto ataque a su inocente persona. Cadena perpetua con trabajos forzados como mínimo; después le amenazó con el transporte a la colonia prisión de la Isla del Diablo y luego con la última afrenta de la decapitación en la guillotina. Al cabo de un rato Armand no pudo evitar reírse a carcajadas.

–¡Le llamas ataque violento! –dijo cuando por fin pudo dejar de reírse–. Todo lo que he hecho ha sido tocarte el trasero. ¿Te crees tan superior que nadie puede ponerte la mano encima sin que le concedas tu permiso por escrito? Es bastante bonito, aunque yo los prefiero menos gordos.

Yvonne le miró con los ojos abiertos de incredulidad porque alguien se atreviera a atribuirle algo que no fuera perfecto. Armand se arrodilló entre sus piernas y le dio un pellizco en la mata ensortijada.

–En cuanto a esta cosa tan bien empleada, dime, en tu opinión, ¿qué lo hace tan especial?

264

Yvonne se quitó las manos de la cara y le miró con la boca abierta, sin encontrar palabras por un momento, algo que no era propio de ella. Armand se aprovechó de la breve parálisis mental que su ofensiva había desencadenado para quitarle del todo las bragas de crespón de seda. Al cabo de un momento le abrió de piernas y se colocó entre las rodillas de Yvonne.

«De modo que quieres sentirte violada –pensó Armand, mirándola con arrogancia a los ojos marrón oscuro–. Lástima, querida Yvonne, no soy tu juguete mecánico al que das cuerda y se pone a funcionar, y no será como te esperabas.»

Le puso las manos bajo el trasero, agarrando y estrujándole las nalgas, mientras inclinaba la cabeza para hacerle cosquillas con la punta de la lengua en el ombligo. Yvonne jadeó y recuperó el habla para exclamar:

–Pero ¡no quiero que hagas eso! ¡No, no, no, Armand! –cuando sintió que sus dedos la penetraban y jugaban con su botón mientras, por debajo, el pulgar se introducía en la cálida apertura de las nalgas.

Armand recordaba lo rápido que un ataque por los dos flancos la había excitado la noche anterior; si una fracción de dedo la había afectado tanto, ¿qué no haría un pulgar entero?

–¡No! –jadeó Yvonne mientras se levantaba del pulgar que se había hincado en su fruncida fisura, sólo para apretar su botón contra los dedos que la acariciaban–. ¡No! –dijo, y se hundió a fin de escapar de los dedos, sólo para imbricarse aún más en el pulgar–. ¡No! –dijo levantándose otra vez–. ¡No! –mientras caía–. ¡No! –y– ¡No! –hasta que los gritos y movimientos se volvieron rítmicos y deliberados. Y fue entonces, al oír sus jadeos de placer, cuando Armand retiró las manos.

–Si no quieres que lo haga, no lo haré –le dijo, ignorando por completo la verdad–. Ya sabes que te respeto demasiado para forzarte, Yvonne.

–Pero ayer estuviste dispuesto a forzarme –dijo ella jadeando contrariada, con el vientre tembloroso recorrido por espasmos que le hacían elevar la cintura hacia él.

–Fue un error por mi parte –confesó Armand–, y espero que me perdones.

La hilera de botones marfileños del delantero del vestido iba de arriba abajo desde el escote hasta el bajo. Armand dirigió sus atenciones a explorarlos, simulando estar demasiado absorto como para oír a Yvonne insistiendo en que no había nada que perdonar, le explicó que cuando la arrinconó contra la pared, el verlo desesperado le llegó al alma. Le aseguró que se equivocaba al creer que lo despreciaba, en cualquier caso, no tenía ninguna objeción en que él la utilizara como más le pluguiese. Pero entonces, Armand hizo el interesante descubrimiento de que los botones no eran de adorno, sino que se podían desabrochar.

Mientras Yvonne se retorcía en el sillón, frustrada, Armand le miró el bajo del vestido y, después de desabrochar dieciocho botones, descubrió que el vestido se abría en dos largos cortes. Le levantó la combinación por el cuello para acariciarle los pechos y besárselos, e incluso en reposo, los cárdenos pezones eran más prominentes que los de la mayoría de las mujeres que había conocido, y ahora que estaba excitada se erguían con orgullo hasta un tamaño y una longitud que casi equivalían a la primera falange del meñique de Armand. Los lamió hasta que volvió a oírla jadear, luego se detuvo.

–Ábrete de piernas para mí, Yvonne –le sugirió, para prolongarle el tormento. Y Armand se sentó sobre los talones.

Yvonne se agarró a los brazos del sillón en busca de

apoyo y levantó las piernas hasta la cabeza, y dejó que los talones descansaran sobre los hombros de Armand durante un momento, para que él pudiera notar el fino cuero de los zapatos de tacón de aguja contra la piel. Luego, mientras él observaba encantado, separó las piernas despacio, como si abriera las puertas de un armario maravilloso. Se abrieron más y más hasta que se le notaron los tendones de las ingles y los músculos tensos a lo largo de la cara interna de los muslos. Se hundió más, hasta casi tumbarse de espaldas, con las piernas apoyadas sobre los reposabrazos del sillón formando un ángulo recto con su cuerpo.

–Es maravilloso –dijo Armand jadeando.

Miraba el húmedo centro rosado del deseo, abierto por la tensión de las piernas. Le fueron revelados sus secretos; y se ofrecía para que la viera y admirara, todo era de Armand, para que lo usara como le apeteciera, todo era para su placer. Fue incapaz de resistirse a inclinarse hacia adelante y dejar que la punta de la lengua se deslizara entre los aterciopelados pétalos de la florida rosa bermellón que se le ofrecía.

–¡Oh, sí, Armand! –empezó a gemir Yvonne.

Armand la tentó hasta que notó que el cuerpo de Yvonne se sacudía en los largos temblores que preceden y anuncian el éxtasis, y entonces levantó la cabeza para sonreírle en el rostro arrebolado. La había amenazado con humillarla y mantendría su palabra. El costoso vestido blanco y negro estaba desabrochado y arrugado debajo de ella como si fuera un harapo, la preciosa combinación estaba arrebujada en los sobacos, el sombrero de piel de leopardo se había perdido y estaba aplastado en algún lugar debajo de su espalda, e incluso los ligueros malva se habían desabrochado para dejar caer las medias de seda que se arrugaban alrededor de sus piernas.

Pero, como siempre, los planes de Armand no contaban con su susceptibilidad. Contemplaba triunfante a Yvonne y se jactaba de haber reducido su fría y elegante belleza a un deseo descontrolado y frenético. Vio como se le elevaban y caían los senos al ritmo irregular de su respiración, como le palpitaba el liso vientre, como tenía las piernas tan abiertas que se le marcaban los tendones. Levantó la vista hasta su semblante para que Yvonne se amilanara ante su victoria y vio que los ojos marrones le brillaban de incipiente éxtasis: ella sabía que estaba a punto de penetrarla.

Yvonne tenía razón. Con una total falta de escrúpulos, la ardiente y aleteante verga de Armand traicionó su resolución. Saltó sobre ella, alineó su dureza con la raja húmeda y brillante y empujó enérgicamente para envainarse. La sujetó por las caderas y, de una larga embestida, hundió toda la longitud de su distendida carne en ella y se tumbó sobre su vientre. Yvonne ciñó las piernas a los hombros de Armand y él la espetó, jadeando arrobado, haciendo que los senos desnudos de ella rebotasen contra su pecho a cada profunda acometida.

Se le ocurrió –en la medida en que tal cosa era posible en aquellos momentos de delirio– que Yvonne formaba parte de un legado maravilloso que había recibido de Pierre-Louis. El destino había dispuesto que un simple acto de infidelidad por parte de su primo condujera a la hermosa Madeleine desnuda al lecho de Armand, luego se le había entregado la lozana y exuberante Suzette, y a la zaga de Suzette llegaron los curiosos goces de su encuentro con Fernande, y ahora, como consecuencia directa de su relación amorosa con Madeleine, el cuerpo lascivo de su hermana se ponía a su disposición.

En efecto, Pierre-Louis le había proporcionado sin quererlo a cuatro mujeres de las que disfrutar. Y a cambio él había dado a su primo un heredero. A Armand le pareció razonable, luego la razón le abandonó al llegar el momento de crisis y barrenar apasionadamente las viscosas oquedades de Yvonne. Ella echó hacia atrás la cabeza mientras gritaba y siguió una sensación de éxtasis aparentemente eterna cuando Armand vació en ella su ardiente pasión. Su cuerpo se balanceaba en el sillón bajo los febriles embates de Armand, mientras las contracciones rítmicas de su vientre lo asían con fuerza y lo chupaban con gula.

Por fin los salvajes espasmos se hicieron más lentos y se detuvieron, y ambos se desplomaron, con el traidor satisfecho aún hondamente alojado dentro de ella.

–¡Oh, Armand, qué me has hecho! –jadeó Yvonne. Le cogió el rostro entre las manos y lo besó–. Me he enamorado de ti –le confesó con sorpresa y delirio–. ¡Te amo, Armand!

Él la besó y murmuró un rutinario:

–*Je t'adore*, Yvonne.

Cuando una mujer le murmuraba palabras de afecto después de haberla complacido, eso adulaba enormemente su orgullo masculino. Claro que no sabía que la razón por la que Yvonne le había tentado a hacerle el amor de un modo tan complicado era que Madeleine le había pedido que se ocupara de él. En esto Madeleine simplemente copiaba las tácticas de su marido, al enterarse de cómo se había ocupado de su amiga, arreglando que Armand se quedara a solas con ella en circunstancias que garantizaban que él le haría el amor, conociendo sus imperiosos deseos.

Al pedirle a su elegante hermana que representara el papel de Suzette en una segunda comedia en la que Armand hacía, sin saberlo, el papel de protagonista, Madeleine se había librado limpiamente de un amante cuya devoción se había convertido en un inconveniente en el momento en que quiso regresar con su marido. Por suerte para el amor propio de Armand, él no sospechaba nada de esta insidiosa conducta de las dos hermanas. Ni tampoco se le ocurrió, tumbado cómodamente sobre el cálido vientre de Yvonne en el epílogo del éxtasis, que sus palabras cariñosas significaban algo más que: ha sido muy bonito, *chérie*.

Pero como todo el mundo sabe, la naturaleza humana es veleidosa e inestable y por tanto impredecible. Para su sorpresa, Yvonne estaba experimentando emociones familiares que la condujeron a pensar que estaba enamorada de Armand. Quizá lo más cercano a la verdad sea decir que su naturaleza vanidosa había sido ofendida y luego enamorada por la peculiar y perversa manera en que Armand la había utilizado para su placer. Él sabía que era posesiva y manipuladora, por supuesto, pero aún no sabía que iba a ser explotado como nunca antes por el aniquilador amor de Yvonne.

Índice